OS ÚLTIMOS JOVENS DA TERRA

4 CONTRA O APOCALIPSE

MAX BRALLIER & DOUGLAS HOLGATE

OS ÚLTIMOS JOVENS DA TERRA

4 CONTRA O APOCALIPSE

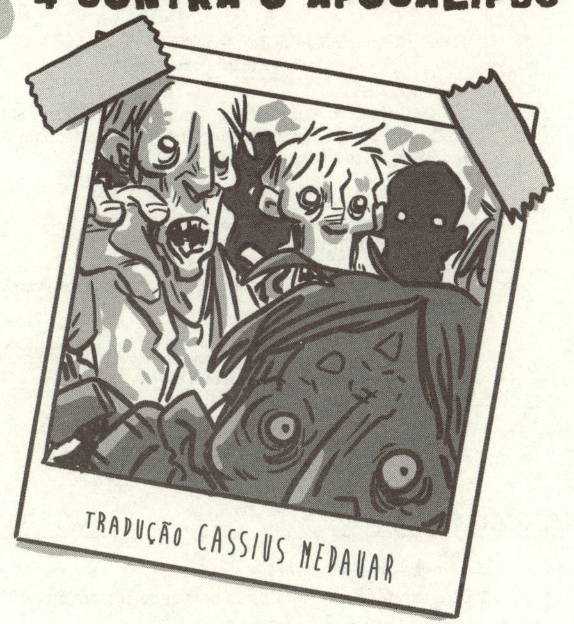

TRADUÇÃO CASSIUS MEDAUAR

Milkshakespeare é um selo da Faro Editorial.

Diretor editorial **PEDRO ALMEIDA**

Coordenação editorial **CARLA SACRATO**

Preparação e revisão **MONIQUE D'ORAZIO**

Capa e design **JIM HOOVER**

Adaptação de projeto gráfico **OSMANE GARCIA FILHO**

Dados Internacionais de Catalogação na Publicação (CIP)
Angélica Ilacqua CRB-8/7057

Brallier, Max
Os últimos jovens da terra : 4 contra o apocalipse / Max Brallier, Douglas Holgate ; tradução de Cassius Medauar. — São Paulo : Faro Editorial, 2019.
240 p.

ISBN 978-85-9581-094-5
Título original: The last kids on earth

1. Literatura infantojuvenil I. Título II. Holgate, Douglas III. Medauar, Cassius

19-0494 CDD 028.5

Índice para catálogo sistemático:
1. Literatura infantojuvenil

1ª edição brasileira: 2019
Direitos de edição em língua portuguesa, para o Brasil, adquiridos por FARO EDITORIAL

Avenida Andrômeda, 885 – Sala 310
Alphaville – Barueri – SP – Brasil
CEP: 06473-000
www.faroeditorial.com.br

Para Alyse pelo suporte, aconselhamento e todo amor.

Um recado... este livro é meio que uma carta de amor para um grupo de grandes amigos: Mikey, Mouth, Data, Chunk, Roberta, Teeny, Samantha, Chrissy, Angus, Troy, Gordy Lachance, Chris Chambers, Scotty Smalls, Benny the Jet, Corey, Haley e Jimmy. Obrigado amigos... e obrigado a todos que criaram vocês.

M.B

Para Allyson e Angus, que nunca precisemos pôr em prática os planos alfa ou beta de sobrevivência a uma praga zumbi, mas saibam que se precisarmos, eu não ia querer passar pelo apocalipse com ninguém mais além de vocês.

D.H.

OS ÚLTIMOS JOVENS DA TERRA

4 CONTRA O APOCALIPSE

capítulo um

Sou eu ali.

Não o monstro gigante.

Abaixo do monstro gigante. O moleque caído e com um bastão quebrado. O moleque bonitão prestes a ser devorado.

Quarenta e dois dias atrás, eu era um Jack Sullivan normal: treze anos, vivendo uma vida comum na desinteressante cidade de Wakefield. Eu com certeza ***não*** era um herói, com certeza ***não*** era durão e com certeza ***não*** lutava contra monstros gigantes.

Mas olha pra mim agora. Enfrentando uma fera gigante...

A vida é mesmo uma loucura.

Atualmente, o *mundo inteiro* é uma loucura. Preste atenção às janelas quebradas. Veja também as trepadeiras crescendo pelas paredes da casa. Essas coisas não são normais.

E eu? Eu não tenho sido normal... bom, desde sempre. Sempre fui *diferente*. Eu sou órfão, por isso já passei pelo país todo, por lares e famílias diferentes antes de chegar à pequena cidade de Wakefield.

Mas todas essas dificuldades fazem a gente ficar durão, mais descolado, mais confiante e se dar bem com as garotas... elas transformam a gente em JACK SULLIVAN.

Ah, *droga!*

O SOCO DO MONSTRO!!!

Caramba!

Quase fui esmagado pelo soco do monstro.

Vim nesta loja porque precisava de um kit para óculos, daqueles que os pais compram para arrumar seus óculos quando quebram. Sei que não é nada descolado. Mas tenho um walkie talkie que está quebrado e, para consertar, preciso de uma chave de fenda muito, mas *muito* pequena mesmo, e o único lugar onde consigo uma chave de fenda muito *muito*, muito pequena é num kit de reparo de óculos.

Deveria ser uma ida rápida e tranquila à loja, mas uma coisa que aprendi sobre a vida depois do Apocalipse dos Monstros é: nada é rápido e nada é tranquilo.

Esse é o monstro mais abominável, feroz e simplesmente terrível que já encontrei. Ele é bem direto...

CA-BLAM!

Caramba! O punho enorme do monstro socou o teto até ele se quebrar como gelo fino. Eu tropeço, cambaleio para trás e caio de bunda.

É hora de deixar de ser o saco de pancadas desse monstro. Quer saber? Tenho meio que sido o saco de pancadas do mundo por um tempo e, bem, não é algo divertido.

Por isso estou revidando.

Eu me levanto.

Tiro a poeira.

Seguro firme o bastão, nem muito apertado, nem muito solto, exatamente como a gente aprende jogando beisebol.

Só que não tô tentando acertar uma bola fraca lançada por um moleque... estou tentando matar um monstro.

DUELO MORTAL!

Bom, basicamente ele vence.

A mão enorme do monstro me agarra em pleno ar. Sou um inseto em seu aperto poderoso. Tento segurar meu taco de beisebol (que chamo de Fatiador), mas o aperto esmagador do monstro prende meus braços ao lado do corpo.

Ele me traz para perto de seu rosto. Uma saliva grossa, como lodo, escorre de seus lábios. Os olhos dele me examinam, e suas narinas se abrem para sentir meu cheiro. Me sinto como a loira em *King Kong*, mas não acho que esta fera quer me abraçar e me beijar...

Ele fareja um pouco mais e depois sopra meu cabelo para trás ao expirar. Viro o rosto. O hálito dele é... nossa... este cara precisa passar fio dental.

Encontrei outros monstros esquisitos nesses quarenta e dois dias, mas nenhum como este. Nenhum que me examinou: me olhando de perto, me cheirando e me estudando.

Nenhum que parecesse *assustadoramente inteligente*. Estou sentindo uma coisa no estômago... um pressentimento... algo me dizendo que este monstro é mais, muito *mais* do que 100% puro MAL.

Um sorriso parece surgir no rosto do monstro. É um risinho sinistro que diz: "Eu não sou simplesmente uma besta primitiva. Sou um vilão monstruoso, um grande mal e vou me divertir infligindo dor nesse seu minúsculo corpo humano".

Com um gemido arrepiante, a boca do monstro se abre, revelando um exército de presas sujas, com pedaços de carne nos dentes. Eu chuto, me contorço e, diante da minha morte iminente, como último recurso, eu MORDO. Meus dentes se cravam na pele do monstro e seu aperto se afrouxa um pouco... o suficiente para eu conseguir segurar meu taco, me soltar e...

Bato o bastão no crânio grosso da criatura até ela rugir, um som parecido com um BLARG!!! sua mão se abre e...

Ah não...

Mergulho no ar, caindo pelo buraco no telhado e para dentro da loja...

Caio na parte que tem comidas. Arranco um biscoito Oreo do pacote e ponho inteiro na boca. Huuummm... O Oreo é muito velho, mas tô nem aí. Oreo é Oreo, e é difícil achar comida boa nos dias de hoje. Além disso, desde que o mundo acabou, tudo depende do que achamos. E eu não vou recusar biscoito. Não mesmo.

Me levantando, examino a situação. Um dos pés gigantes do monstro preenche toda a loja. Um dedo do pé está no corredor de materiais escolares, outro em cima dos sprays de cabelo e desodorantes. Corro e subo no pé do monstro, em direção à frente da loja, e vejo o que vim buscar...

Guardo o kit no meu bolso, mas então...

As garras do monstro rasgam o teto como se não fosse nada, e o forro começa a cair à minha volta enquanto disparo em direção à porta.

Adoraria ficar mais um pouco aqui... folheando as revistas, experimentando óculos descolados, comendo salgadinhos... Mas não tenho tempo, sabe como é, com o monstro gigante e tal.

Assim que *atravesso* a porta...

Passo correndo por um carro todo amassado e por um quintal cheio de mato, então deslizo por baixo da varanda desmoronada de uma casa abandonada.

Pego minha câmera. *Sempre* estou com minha câmera. Sempre. Levo o visor aos olhos, abro as lentes, dou zoom e... SNAP!!

Fotografo todos os monstros que encontro, para depois estudar seus ataques, defesas, pontos fortes, fracos e tudo mais. Além disso, é irado poder dizer "eu sou um fotógrafo de monstros".

Também dou um nome para cada um dos monstros. Mas como chamarei esse? Que nome dar a um monstro tão aterrorizante que só de olhar pra ele meu estômago se revira de medo?

A enorme fera ruge de novo, com um som que parece "BLARG!".

Huumm. "*Blargh.*" Até que combina...

De repente, há um barulho como uma bola de demolição arrebentando dez milhões de Legos. A loja está se esfacelando e desmoronando enquanto Blarg atravessa suas paredes até o estacionamento. Quando a fumaça se dissipa, vejo o monstro inteiro pela primeira vez...

com pernas grossas como troncos de árvores, um terror monumental. Ele é...

Blarg baixa o nariz até o chão e fareja. Então levanta um carro e olha embaixo. Ah, droga, ele está caçando! E procurando por mim!

Ele examina a área destruída e decaída em volta. Então olha para a varanda, a mesma debaixo da qual estou escondido...

Engulo em seco. Será que ele me viu? Bem devagar, me inclino para trás, mais para as sombras.

Ele examina a varanda por mais um tempo e então levanta a cabeça até o céu. Um uivo ensurdecedor de frustração irrompe de seus pulmões.

Acho que ele não me viu.

Blarg se vira e caminha pesadamente pela Spring Street, se afastando das ruínas da loja e farejando o chão ao mesmo tempo. Ele é tipo um cão farejador e agora já sentiu meu cheiro...

Enquanto saio de debaixo da varanda, penso que essa foi por pouco.

Por pouco demais e perigoso demais.

Mas estou me acostumando às coisas serem *por pouco demais e perigosas demais.* O que posso dizer? A vida pós-Apocalipse dos Monstros é assustadora. E também muito *estranha.* Mas tudo bem, porque eu também sou bem estranho.

Agora é hora de voltar para a casa da árvore...

capítulo dois

A IMPENETRÁVEL E ALTÍSSIMA FORTALEZA IRADONA NA ÁRVORE DE JACK!!!

É aqui que eu moro. Sei que não é uma *casa* de verdade com coisas chiques tipo banheiros e janelas, mas acho que é bem razoável.

A casa da árvore *pertencia* ao meu pequeno e desprezível irmão adotivo. Antes de... você sabe. Mas fiz algumas adições importantes desde que todo o terror começou.

E por que um moleque de treze anos precisa de uma casa na árvore mais protegida do que um forte do exército, a Torre Stark e a Mansão X combinados?

Porque uma MASSA enorme de zumbis e monstros brutais tomaram a minha cidade (e, até onde eu sei, a porcaria do mundo todo)!

Você provavelmente sabe o que são zumbis, mas caso tenha morado em um buraco a vida toda, me deixa contar um pouco do terror...

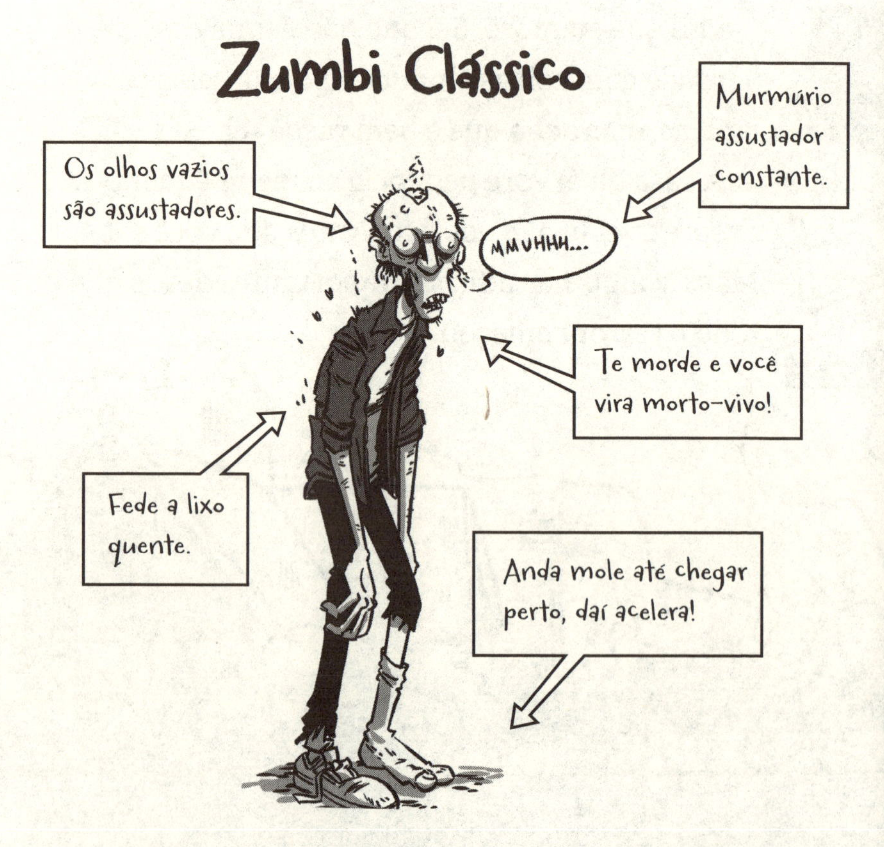

Existem outros monstros também.

Como as Bestas, que são grandes, muito fortes e parecem rinocerontes que andam sobre duas patas.

Ou os Monstros Alados, feras voadoras que parecem pterodátilos mutantes. E ainda tem as Trepadeiras, longas ramagens vermelhas que estão bem vivas. Tá bom, eu sei que as plantas são seres vivos, mas essas são tipo vivas mesmo.
Elas transformam quintais em selvas traiçoeiras!

Mas tenha em mente que não são os nomes científicos corretos. Não sou nenhum monstrologista.

E isso é só a ponta do iceberg. Quase todo dia eu descubro algo novo que é terrível, de arrepiar os cabelos e que faz você querer vomitar.

Agora, você provavelmente está se perguntando por que estou contando tudo isso. Tipo, por que ficar a par dos pensamentos e divagações de um garoto que tenta permanecer vivo durante o Apocalipse dos Monstros?

Pois eu explico.

É porque eu acho importante que as pessoas, no futuro, saibam como era a época logo depois que os monstros chegaram.

E eu também gostaria ser lembrado, caso acabe sendo devorado um dia desses. Tipo assim...

Agora, *como* você vai se lembrar de mim, bom, só o tempo vai dizer…

Como já falei, antes do Apocalipse dos Monstros eu era órfão. Bom, acho que para todos os efeitos eu *ainda* sou órfão, mas você entendeu o que eu quis dizer.

A última família com quem eu fiquei, os Robinson, foi a pior. Assim que os monstros surgiram, os Robinson simplesmente deram no pé, mas nem fiquei surpreso de terem me deixado para trás. Honestamente, tenho quase certeza de que eles só aceitaram ficar comigo porque queriam alguém para cortar a grama e varrer as folhas...

Mas se parece que estou tentando fazer você se sentir mal por mim ou algo assim, não é isso. Estou apenas deixando você a par da situação, as partes boas, as ruins e todos os detalhes.

Aprendi há muito tempo que o melhor é tentar não esquentar demais com as porcarias que a vida joga em você. Se a vida tentar te nocautear, apenas faça o seu melhor para se esquivar e seguir em frente. Até porque, sempre *alguém* está pior, né?

Quero dizer, a menos que você seja a última pessoa na Terra. Daí, tecnicamente, ninguém estará pior do que você.

Desde que os Robinson se mandaram — já faz quarenta e dois dias —, tive que sobreviver sozinho em um mundo de monstros. É exatamente o roteiro de um jogo de videogame, né? Então pensei: "Quer saber de uma coisa? Vou levar a vida como se *fosse* um game".

E foi fácil, pois sempre vi a vida pelo ângulo de um game, na verdade, examinando os dados e poderes das pessoas e imaginando os obstáculos como lutas com os chefões finais.

Sabe aqueles desafios nos games que você completa para ganhar troféus e conquistas? Bom, criei os meus próprios desafios. Eu os chamo de...

Feitos de Sucesso Apocalíptico

Eu ganho troféus ao completar desafios e metas. Quanto mais ariscado o desafio, maior será o Feito. E eu sempre preciso de fotos para comprovar. Por exemplo:

FEITO: Chapeleiro Maluco!
Roubar os chapéus de cinco zumbis.

FEITO: Corredor!
Vencer um zumbi na corrida.

FEITO: Sorriiiaaa!
Tirar foto com alguém que você conheceu antes de virar zumbi.

FEITO: Caçador de Casas!

Explorar 50 casas abandonadas.

Ainda falta uns 106 Feitos para serem completados. E se eles estiverem acabando, eu simplesmente crio mais.

Agora preste bastante atenção que é aqui que as coisas ficam realmente sérias.

Tem um Feito de Sucesso Apocalíptico **MUITO IMPORTANTE** que ainda não completei. Este:

FEITO: Donzela em Perigo!

Encontre e resgate seu *crush*, June Del Toro.

Sabe *por que* este é o Feito **MÁXIMO** de Sucesso Apocalíptico? Quando me mudei para Wakefield, decidi que queria ser um fotojornalista (que é apenas uma palavra chique para quem tira fotos de coisas legais e de ação).

Quando contei aos Robinson, eles responderam:

— AH, CLARO, VOCÊ VAI CONSEGUIR!

Então pensei: "Beleza, eu posso dar um jeito sozinho". Então eu corri atrás e consegui um bico tirando fotos para o jornal da escola. Foi lá que conheci a June Del Toro...

June era a aluna editora do jornal, o que era perfeito, pois se nós dois trabalhávamos no mesmo lugar, seria uma razão para conversarmos e ficarmos amigos, certo?

Acontece que a June é *assustadora* quando está trabalhando. Só que mesmo quando está irritada e estressada, ela consegue permanecer absurdamente linda...

Agora tenho que ser bem sincero, eu acho que a June meio que me **odeia**.

Ela me disse que eu era preguiçoso. Discordo respeitosamente. Preguiçoso não, eu estava apenas tentando cumprir meu papel como fotógrafo; o rebelde selvagem que segue suas próprias regras, o cara bacana que está sempre sendo bacana e descolado, 24 horas por dia, bacana e descolado sem parar, bacana e descolado.

June disse que meu trabalho não estava capturando as histórias importantes da escola. Acho que ela só queria fotos de vendas de bolos ou do novo quadro branco da sra. Gradwohl ou algo assim. Será?

Mas veja bem, eu não vou muito atrás dessas besteiras chatas. Gosto de ação! Gosto de capturar aquele momento único de tempo que nunca mais vai voltar. E sabe o que acontece agora? Minha câmera está cheia de momentos "desafiando a morte" únicos na vida, e de "essa passou muito perto".

Por exemplo, só nessa semana...

De qualquer jeito, mesmo que a June meio que me odeie, eu também meio que, provavelmente, definitivamente, talvez goste dela... e muito.

Mas será que ela está por aí? E melhor, será que está viva? E ainda na cidade?

O que sei até agora é o seguinte...

No dia que começou o Apocalipse dos Monstros, **EU SEI** que June estava na nossa escola. Mas não acho que esteja mais, pois fui até lá alguns dias atrás e fiquei do lado de fora gritando seu nome, mas não houve resposta.

Também tenho **CERTEZA ABSOLUTA** de que os pais da June não deixaram a cidade, porque eu fui até a casa dela na semana passada e os carros deles ainda estavam na garagem. Entrei e vasculhei a casa e não parecia que eles tinham feito as malas e fugido em um trem ou algo assim.

E **ME RECUSO** a acreditar que June tenha sido zumbificada.

O que significa que ela **SÓ PODE** estar por aqui, na cidade, em algum lugar.

Então eu vou encontrá-la. E vou resgatá-la.

Então é isso.

Esta é minha vida.

E essa é a minha meta.

Não vou descansar até conseguir.

Sou um guerreiro órfão e nerd. Sou um tornado matador de zumbis e caçador de monstros descolado (não exatamente, mas a história é minha, então aceite). E eu vou...

Resgatar a June Del Toro e completar o Feito MÁXIMO de Sucesso Apocalíptico!

capítulo três

É fim de tarde, e o sol está se pondo em um tom laranja da cor de um sorvete. Raios de luz do final da tarde brilham através das janelas da casa da árvore, e o pequeno sino de vento que pendurei na frente da casa está tilintando.

Estou debruçado sobre o comunicador quebrado, tentando consertá-lo com minha nova mini chave de fenda. Atenção! É um walkie, não um walkie-talkie. E acho que meu trabalho está indo *muito bem.*

O walkie serve para me comunicar com apenas uma pessoa: Quint Baker. Ele era... **É** o meu melhor amigo! Meu *único* amigo.

Quando me mudei para Wakefield no inverno passado, Quint era o único garoto que conversava comigo. Quando você é órfão e se muda o tempo todo, acaba se acostumando a se virar sem amigos.

Mas Quint e eu éramos como peças de Lego: encaixamos logo de cara.

Quint me deu o walkie — metade de um par — no meu aniversário. O melhor presente de aniversário que já recebi. Como meus pais adotivos não me davam um celular, e os pais de Quint acreditavam que celulares faziam seu cérebro derreter, os walkies eram o único jeito de Quint e eu conversarmos fora da escola.

Só que agora estou com medo do Quint ter dançado. No dia que tudo aconteceu, nós... bom, nos separamos. Agora, ele provavelmente foi zumbificado ou fugiu para o oeste, junto com todos da cidade. Quando tudo aconteceu, ouvi que lá no oeste era mais seguro. Mas nunca mais soube de nada desde, sei lá, o quarto dia... então vai saber.

Mesmo assim, há uma chance de Quint estar vivo em algum lugar, e este walkie pode ser a chance de encontrá-lo, então não posso desistir.

Depois de queimar os dedos sete vezes, faço o walkie funcionar. Aperto o botão e ele solta um chiado baixinho que me diz que está funcionando.

Espero alguns minutos. Sem resposta. Mais alguns minutos. Ainda sem resposta. Vou deitar. Minha cama é uma pilha de moletons, meias e toalhas em um canto da casa da árvore. Eu me deito e me encolho debaixo do meu cobertor. Ainda está muito quente, mas preciso ficar debaixo de um cobertor quando durmo. Quer dizer, um cobertor não vai fazer nada contra um Monstro Alado ou uma Besta, mas mesmo assim, me sinto mais seguro...

Logo caio no sono. E tenho pesadelos.

Daqueles que parecem *muito reais.*

Pesadelos com aquela manhã, quarenta e dois dias atrás, *quando os monstros vieram e tudo mudou...*

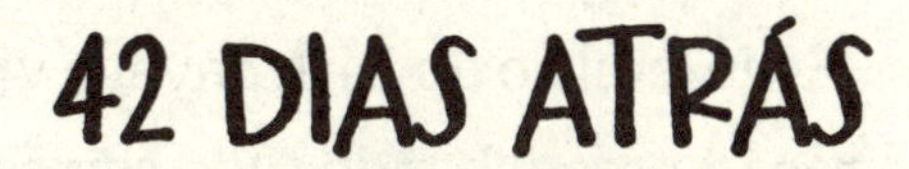

Era uma manhã normal.
Começo de Junho.

As aulas estavam quase acabando e todos já estavam com a febre das férias de verão... como se a liberdade já estivesse ali na esquina. Eu tinha isso pela metade, porque as férias de verão significavam passar muito mais tempo em casa com os Robinson, que era uma receita para zero diversão e um monte de grama para cortar.

Me lembro de, logo antes de tudo acontecer, o ônibus estar parando na frente da escola. E também lembro de o Quint estar comendo seu sanduíche de salada de ovo com *cheiro de podre*. Ainda consigo sentir aquele cheiro... como se o odor tivesse ficado tatuado nas minhas narinas.

E me lembro do Dirk Savage vindo em nossa direção, preenchendo todo corredor do ônibus, grande e imponente, lançando uma longa sombra em nós.

Dirk Savage era o maior valentão da Escola Parker de Ensino Fundamental. Acho que ele já nasceu com pelos no rosto. Diz a lenda que ele veio de Detroit e que seus pais simplesmente o abandonaram. Eles teriam se separado porque o filho fazia *bullying* com eles, e então Dirk foi morar em uma cabana na floresta de Wakefield. E só aparecia na escola para roubar o dinheiro do almoço de *outros valentões*.

Dirk olhou pra gente de cima para baixo e rosnou.

Quint olhou para Dirk, mas não falou nada. Quero dizer, não tem como responder aquilo. Dirk pegou o sanduíche da mão de Quint e enfiou a coisa toda — que acabara de descrever como o cheiro de bunda de esquilo — em sua boca.

— É fedorento — Dirk falou, sorrindo com um sorriso gordo, com migalhas caindo de seu grande rosto quadrado —, mas o gosto não é tão ruim assim.

Senti meu rosto esquentar. O coração batendo mais rápido. Sangue bravo substituindo o sangue normal, e bombeando através de mim.

Me levantei, tentando ficar calmo e lidar com a situação de forma descolada.

Senti a mão do Quint segurando minha camiseta, tentando me impedir e me dizendo:

— Jack, está tudo bem...

Mas não estava nada bem. Odeio babacas, sejam eles monstros, zumbis ou apenas os humanos normais babacas.

Dei de ombros.

— Tenho certeza de que podemos achar alguém do seu tamanho. Né, Quint?

Quint olhou pela janela, fechou os olhos e começou a cantarolar para si mesmo, como se não estivesse envolvido nisso.

Me virei para o Dirk.

— Talvez um urso panda bem gordo? Talvez seja o mais próximo do seu porte impressionante.

Dirk estendeu a mão e me agarrou pelo colarinho.

— Ei, cuidado com meu casaco — falei. — Sou a quinta pessoa a usá-lo. Talvez seja uma antiguidade.

— Você se acha engraçado? — Dirk grunhiu.

— Me acho. Mas sendo justo, também acho engraçadas as pessoas que escorregam no gelo. Meu senso de humor não é muito sofisticado.

Dirk está prestes a me bater, quando...

Um grito estridente corta o ar. Sempre há muitos gritos pela manhã fora da escola, pessoas brincando, empurrando, correndo, jogando, e garotas rindo tão alto que pareciam gritar.

Mas aquele grito era diferente. Foi um grito de puro horror. Dirk me soltou, eu me inclinei sobre Quint e encostei meu rosto na janela. E então eu vi...

Lembro de pensar: "AH... ISSO NÃO PODE SER REAL. SÓ PODE SER PEGADINHA. OU PIADA. OU UM REALITY SHOW, NÉ?"

Então falei pro Quint:

— **AH... ISSO NÃO PODE SER REAL. SÓ PODE SER PEGADINHA. OU PIADA. OU UM REALITY SHOW, NÉ?**

Mas não era.

E foi isso.

O Apocalipse dos Monstros tinha começado.

A seguir, ouvimos um som do tipo que o Godzilla produziria, mais ou menos como REARGHHHH!!!, e o ônibus foi sacudido com força. Fui jogado sobre o Dirk, e o Quint subiu no ar e caiu no corredor. O motorista, um senhor legal de cabelos brancos, chorava como um bebê.

O interior do ônibus ficou escuro. Algo estava cobrindo as janelas... do ônibus inteiro.

A mão de um monstro.

Ele inclinou o ônibus com a parte de trás apontando para o céu. Viramos bolas em um fliperama, despencando pelo corredor, batendo contra os assentos e com nossas mochilas voando pelo ar.

De repente veio a parada súbita e dolorosa, com cada criança do ônibus se amontoando contra a porta da frente em uma grande pilha de gente.

— Quint? — Consegui perguntar. Eu mal conseguia respirar com várias crianças em cima de mim. Um sovaco na minha cara. Um pé na minha cabeça. Um ouvido no meu nariz. — Quint, o que está acontecendo?

— Eu não tenho certeza, Jack — Quint respondeu.

Ele sempre tinha resposta para tudo. Mas desta vez não tinha. Isso quase me assustou mais do que o monstro.

Quase.

A pata gigante do monstro amassou o ônibus como se fosse uma lata vazia, e a porta da frente se abriu com um *POP* alto de metal, nos lançando para o chão do estacionamento. Caí de cara no cimento. Nariz sangrando, escorrendo até os lábios e a língua. Me levantei cambaleando e puxando Quint comigo, nos levando para longe da multidão, dos gritos e choro.

Este é meu pesadelo de agora. E foi um pesadelo na hora.

Me ajeitei, olhei em volta e...

Um único rosto lindo e angelical se destacava na massa de pessoas em fuga: June Del Toro. Vi um zumbi cambaleando em sua direção, vindo por trás.

— June! — gritei, minha voz falhando enquanto eu me esforçava para gritar lá do estacionamento. — Atrás de você!

June virou-se, evitou o zumbi cambaleante que caiu, deixou-o esparramado no chão e correu para dentro da escola. Nossos olhares se cruzaram.

E então a porta se fechou com tudo.

Naquela hora eu disse para mim mesmo que, o que quer que acontecesse, o que quer surgisse em seguida, eu voltaria para a escola e encontraria a June.

— Para onde, Jack? — Quint perguntou, me acordando pra realidade.

— Hã, para a Pizzaria do Joe? Acho que hoje é promoção de duas fatias pelo preço de uma...

— Fala sério, Jack!

— Bom, eu não sei! Não tô acostumado com esse caos de zumbis e monstros. Acho que, hã, vamos CORRER!

E foi o que fizemos. Saímos correndo para longe do ônibus escolar, do monstro gigante e das hordas de zumbis. Pulamos a cerca do campo de futebol e fomos até as árvores depois dele.

— Quint — falei, recuperando o fôlego e puxando-o para trás de uma árvore. — Precisamos pensar em um lugar pra ir. Tipo a delegacia de polícia ou algo assim. Ou então que os Vingadores apareçam. Tipo o Homem de Ferro ou qualquer outro!

— O Homem de Ferro não é real, Jack.

— Mas o Robert Downey Jr. é! Aposto que ele poderia ajudar.

— JACK!

— Desculpe, você está certo — respondi. — Ele provavelmente está ocupado sendo famoso e tal.

Quint suspirou.

— Meus pais estão de férias. Tenho uma babá cuidando de mim. Vou para minha casa avaliar a situação. Você corre para a sua.

Balancei a cabeça concordando. Quint levantou seu walkie.

— Vamos manter contato em todos os momentos usando isso — ele falou.

— Combinado. — Eu estava tentando manter a calma, ser o clássico Jack Sullivan descolado, mas meu coração estava batendo forte e parecia que todo o meu corpo estava tremendo.

Quando cheguei em casa, o carro tinha sumido e havia marcas de pneus na saída da garagem. Minha "família" tinha ido embora. Subi na casa da árvore e, em meio ao pânico, eu derrubei meu walkie. Ele quicou no chão e voou pela porta. Eu tentei alcançá-lo, mas...

Fiquei olhando para o walkie no chão. Precisava falar com Quint, mas... fico envergonhado em admitir... eu estava com muito medo de ir até lá. Estava apavorado. Estava surtando. Eram coisas *demais.*

Então eu me encolhi no chão, me cobri com um casaco e coloquei meus fones de ouvido para abafar os sons do caos do lado de fora.

E dormi. Dormi por vários dias.

A coisa ficou pior. Havia zumbis por todos os lados. Monstros gigantes no horizonte. Cobri as janelas da casa da árvore e fiquei escondido.

Havia um velho rádio AM/FM lá. Nos primeiros dias, emissoras tentavam explicar o que estava acontecendo. Eu comia biscoitos e salgadinho enquanto ouvia as pessoas no rádio dizerem que no oeste era seguro. Mas então, no quinto dia, não houve mais transmissões...

Então, eu voltei a dormir.

Do mesmo jeito que estou dormindo agora...

Quando finalmente juntei coragem para sair e explorar um pouco, tinham se passado nove dias desde a loucura na frente da escola.

E naqueles nove dias, *tudo* tinha entrado em colapso.

KRR-CHHHHHH!

Um som meio falhado e de chiado me acorda do pesadelo em flashback que eu estava tendo.

Pisco duas vezes. Não sei bem o que está acontecendo. Não sei bem onde estou.

E, de novo, *KRR-CHHHHHH!*

— O que é isso? — pergunto a mim mesmo enquanto me sento e esfrego os olhos. É o amanhecer. O sol está nascendo e bate bem nos meus olhos.

E de novo, *KRR-CHHHHHH!*

Devagar, começo a acordar de verdade. Me lembro onde estou. Na casa da árvore. Quarenta e três dias depois que o Apocalipse dos Monstros começou.

E aquele som, o *KRR-CHHHHHH!*... eu entendo.

É o meu walkie!

Fico de pé em um pulo. Ou quase. Uma das minhas pernas dormiu. Eu caio, bato o joelho no chão, mas nem ligo, porque sou desencanado assim. Corro meio manco pela casa da árvore, tão rápido que bato a cabeça na entrada. Praticamente mergulho pra pegar o walkie do chão.

A voz que vem do outro walkie diz:

— Jack, meu amigo. Sou eu. O Quint.

QUINT! Ele está vivo!

Mas espera um pouco...

Um pensamento terrível, *horrivelmente envenenado* passa pela minha cabeça.

Poderia ser uma armadilha de zumbi?

Será que os zumbis e os monstros podem ter começado a *falar*? Se conseguiram, seria a isca perfeita para me atrair para minha perdição...

Então eu respondo:

— Ah, Quint, amigão. Uma perguntinha rápida. Você está vivo, né? Você não é um... tipo, morto-vivo, tentando me enganar, é?

— Eu estou bem vivo, Jack.

Ufa!

Espera aí...

É exatamente o que um Quint morto-vivo diria. Preciso ser mais esperto agora.

— Quint, qual a sua comida favorita?

— Miolos...

NÃÃÃOO!!!!!

Mas então o walkie chia de novo e Quint diz:

— Rá! Tô zoando, amigão. Couve-de-bruxelas gratinada.

UFA!

Estou tão aliviado que meu melhor (e único) amigo está vivo que nem reclamo por ele ter treze anos e sua comida preferida ser couve--de-bruxelas gratinada.

— Cara, é você *mesmo*! — exclamo animado.

— De fato, sou eu. Será que poderíamos nos encontrar, por favor? Tenho muita coisa para mostrar.

Sim, o Quint fala desse jeito. Ele se acha um cientista, então, ao que parece, isso significa que ele precisa falar como um velhote do século 19.

— Claro — respondo. — Hora do agito! Igual a antes dessa bagunça toda! O que vamos fazer? Jogar videogame? Tenho um gerador de eletricidade aqui!

— Sim, videogame — Quint concorda. — **Podemos jogar aqui. Nos vemos em breve, caro Jack.**

Sorrio de orelha a orelha. Os cantos dos meus lábios literalmente estão encostando nas minhas orelhas.

— É a melhor frase que já ouvi na vida, Quint.

Falamos *câmbio* e *desligo* e finalmente eu começo mesmo a acordar. Bocejo, me espreguiço, faço xixi, me alongo tocando os dedos dos pés, limpo o nariz e jogo água no rosto usando o balde que deixo lá fora pra colher água de chuva.

Hora de criar uma rota até a casa do Quint e criar *mais* um dos meus Feitos de Sucesso Apocalíptico.

No meu Centro de Comando da Casa da Árvore, tenho um quadro que peguei do jardim de infância do meu bairro logo depois de finalmente me lembrar de o quanto eu era corajoso e sair para explorar. É daqueles bem grandes que a gente consegue virar e escrever dos dois lados.

É muito prático e eu ainda me sinto como um velho general da Segunda Guerra Mundial toda vez que uso.

Semana passada, enquanto eu explorava a biblioteca, encontrei um velho mapa da cidade, provavelmente dos anos 1950. Prendi o mapa no quadro e fiz anotações de locais importantes para mim. Enquanto vou aprendendo mais sobre os monstros e as coisas terríveis que estão rolando lá fora, atualizo o mapa. O que tenho até agora é...

Mapa de Wakefield
Materiais d
construção
(Casa do Blarg?)
CVS
Parque da cidade
(Agora cheio de Trepadeiras)
Casa do
Quint
A Velha Fábrica
de Caixas
(e toca da Besta)
Docas
(Monstros
Marinhos?)
Escola Parker de Ensino
Fundamental (habitantes
atuais desconhecidos)

Planejo uma rota para a casa do Quint e então visto minha roupa de guerra. Bom, atualmente minha roupa é super-híper-terrível e ridícula. Parece mais uma fantasia de última hora pro Dia das Bruxas do que algo realmente útil para minha sobrevivência.

A única parte *não ridícula* são as armas. Um matador de monstros *precisa* de boas armas!

O que mais uso é este taco de beisebol detonado, o mesmo que acertei na cabeça do Blarg. Eu chamo de Fatiador!

Mas só uso o Fatiador em monstros grandes. *Não* com zumbis. Sabe, eu tenho um código, e ele diz que eu não devo fatiar os zumbis.

Eles eram pessoas *antes* e não têm culpa de serem zumbis agora. *Não* vou cortar a cabeça dessas coisas que costumavam ser gente com meu taco-espada. Não seria educado.

Então, para lutar com zumbis, uso um velho taco de hóquei. É uma pancada na cabeça e partir pra outra. Eu tinha um super estilingue, mas nosso professor de ciência, o sr. Mando, confiscou-o no terceiro dia de aula.

E... Ugh, meu tênis... uma coisa muito irritante aconteceu com meu tênis. Minha mãe adotiva me deu um par de tênis usados com luzinhas vermelhas que acendem sempre que você dá um passo. Basicamente, são tênis para criancinhas.

Na primeira noite que usei eles para brincar de pega-pega com lanterna com o Quint, percebi que não eram apenas da bregalândia, mas também me deixavam em desvantagem tática.

Uma noite, depois de ter a pior noite de pega-pega com lanterna da minha vida, tentei arrancar as luzes, mas elas acabaram apenas meio que penduradas nos tênis e ficaram ainda mais brilhantes.

E então as coisas ficaram ainda piores...

Na escola, o estúpido Nick DeRobertis me contou que o passeador de cães do sobrinho da ex-namorada do primo dele, Silvio DeRobertis, tinha pisado em uma poça usando seus Light-Upz, a água entrou nas luzes, ele foi eletrocutado e... *ZAP!*, fritou na hora. Isso não era nada bom.

Então eu botei umas fitas adesivas nos tênis para cobrir as luzes. Podem ter ficado bem feios, mas pelo menos não vou tomar choque e fritar.

Mas, enfim, o Quint é tipo um supergênio, por isso espero que ele consiga melhorar todas minhas vestimentas, especialmente os tênis, dando um upgrade meio que no estilo do RoboCop.

Este sou eu agora, e definitivamente estou precisando de ajuda.

JACK SULLIVAN

— O Herói —

capítulo quatro

Percorro quase todo o caminho até a casa do Quint apenas indo devagar, em silêncio e pelos quintais das casas. Mas então chego na Oak Street. E essa rua está sempre cheia de zumbis.

Decido pular a cerca e ir pelo campo de futebol americano que dá na casa de Quint. Em geral, fico longe de grandes espaços abertos como este, pois eles são armadilhas mortais, mas demoraria uma vida para dar a volta e estou animado demais para ver meu melhor amigo.

Só que quando chego à metade do campo, percebo que cometi um grande erro, porque bem na metade do campo, eu encontro uma Besta. E Bestas são simplesmente MONSTROS GIGANTES sobre duas patas.

— Besta —

Como as Bestas nunca foram humanos antes, não me sinto tão mal em destruí-los. Apenas digo a mim mesmo que sou um matador de monstros.

Porque sou mesmo, e isso é incrível.

Pego uma granada de laranja, pois normalmente uma dessas quando jogada no olho de uma Besta vai atordoar o monstro por tempo suficiente para eu correr e ficar seguro.

Mas paro ao ouvir um rosnado familiar de trovão... é outra Besta, agora atrás de mim...

Estou ferrado e mal pago. Aliás, não sou nem pago... Apesar de que eu adoraria ser pago por alguma coisa. Para matar monstros, por exemplo.

De repente, do nada, ouço um som tipo...

FLIIIITT— KA-SHMACK!

É o Quint! Meu salvador! O único cara que conheço que poderia ter um lançador de flechas no telhado de casa!

Passo correndo pela Besta ainda gorgolejando e deixo a outra Besta para trás comendo poeira. Desço pelo caminho de terra, pulo a velha cerca de madeira e chego ao quintal do Quint.

E lá, esperando por mim, há uma grande massa de mortos-vivos!

capítulo cinco

Uma onda de mortos-vivos bizarros começa a vir em minha direção.

Primeiro, um zumbi velhote com um olho pendurado que fica batendo em sua bochecha. Ele se arremessa na minha direção com a garganta fazendo um som tipo *GLUGHH*.

Mergulho por baixo de suas mãos esticadas. A seguir, dou de frente com uma velha senhora zumbi. Deve ter uns noventa anos. Ela agarra minha camiseta, mas eu chacoalho e me solto.

Consigo ver a porta dos fundos da casa do Quint e percebo um bom caminho direto pra lá...

A mesa de piquenique!

Então disparo por ela.

Pulo da mesa de piquenique e uso a careca mofada de um zumbi como apoio antes de alcançar o balanço de pneu.

Quint abre com tudo a porta de correr bem na hora que um zumbi pesado e já meio podre para na frente dela. Ele já não tem garganta, apenas um monte de carne podre no lugar. Ele vem em minha direção, praticamente pulando, e não tenho outra alternativa a não ser...

Quint fecha a porta com tudo depois que eu entro. E bem a tempo, pois três zumbis cambaleiam para o vidro, batem e caem para trás.

Então o Quint desliza a grande mesa da cozinha até encostá-la no vidro... uma barricada improvisada. Fico em pé, abro bem os olhos e ainda não estou acreditando. É ele. É ele mesmo.

— Este tempo todo eu fiquei com medo de você estar morto! — exclamei.

— Um cientista nunca morre realmente — Quint respondeu. — Ele continua vivo através do seu trabalho.

Eu suspiro.

— Mas, sim, sou uma pessoal viva normal — ele completa.

Queria suspirar de novo, mas não consigo segurar a risada. Estou apenas muito feliz de ver meu amigo.

— Hã, mas é claro! Não lembra? Trabalhamos nele uma tarde inteira uma vez. Tínhamos aquele grande plano. Usaríamos o aperto de mão combinado quando passássemos pelo corredor, assim as pessoas saberiam que tínhamos uns segredos bacanas e uns planos juntos. Lembra?

Quint coça a cabeça.

— Me lembro vagamente. Como era mesmo?

— Huuummm. Bom. Acho que você segura meu tornozelo e eu dou um peteleco no seu cotovelo. Tinha algo como puxar a orelha também. Acho.

Quint parece confuso.

— Só puxe a minha orelha, Quint.

— Não vou puxar sua orelha.

— Ah, puxa, vai... só um puxãozinho pra começar o cumprimento.

— Jack, acho melhor desistir desse cumprimento secreto.

Dou de ombros. Nós apenas nos cumprimentamos com um soquinho. Não dá pra errar com cumprimentos clássicos.

Sigo Quint até seu quarto. Ele o chama de "O Laboratório".

Subindo a escada, pego minha lista de Feitos e marco com um X a caixa ao lado de Chegar na casa de Quint sem morrer. Mais um feito realizado, mais um tapinha nas costas do velho Jack.

A casa do Quint, a mesma por onde eu passava quase todas as tarde nos últimos seis meses, parecia diferente agora, mas não consigo dizer por que exatamente...

— Isso tudo são as minhas pesquisas. Eu aprendi bastante. Parece que temos de três a possivelmente quatro criaturas na classe dos mamíferos.

— Opa, opa, espera um pouco — respondo. — Achei que íamos jogar videogame...

Quint sorri e diz:

— Foi um truque.

Suspiro e penso que eu tinha razão! Era mesmo uma armadilha! Quint continua:

— Estou prestes a começar a classificá-los por gênero e espécie. Depois, graduaremos seus conjuntos de habilidades e proficiências.

— Graduar seus conjuntos de habilidades e proficiências... você quer dizer, tipo os jogadores beisebol?

Quint fez cara de desanimo.

— Não, Jack, não é igual aos jogadores de beisebol.

— Então tipo os X-Men?

Quint sorri.

— Mais ou menos isso.

— Ei — digo, repentinamente percebendo por que a casa parece tão diferente. — Onde estão seus pais?

Quint fica em silêncio por um momento. Então olha para o chão como se o estudasse.

— Eles estavam num cruzeiro, lembra? Então eu tenho que acreditar que ainda estão lá fora, seguros...

— Ah... — respondo baixo. — E aquela babá estranha que ficou aqui tomando conta de você?

— Ah, ela foi zumbificada logo de cara.

Eu rio. Mais ou menos. Uma meia risada. Não, menos. Um terço de risada.

Depois disso, apenas ficamos sentados em silêncio por um tempo... nenhum de nós querendo falar mais nada.

Dou uma tossidinha na mão e então pergunto:

— Ei, Quint, é verdade o que os noticiários falavam nos primeiros dias? Que os monstros e zumbis vieram primeiro para o Leste? Então todo mundo foi para o oeste e lá o exército estava, tipo, preparado para detê-los?

Quint olha para o teto e pensa por um momento.

— Não tenho a menor ideia. Só sei até onde consigo ver. E o que eu consigo ver? Monstros e zumbis por toda parte e pouquíssimos sobreviventes. Sem internet, sem celulares: por isso não dá pra saber mais nada.

— Acha que a gente *deveria* tentar ir para o oeste? — pergunto isso mesmo sabendo que eu mesmo não quero ir.

Quint sacode a cabeça.

— Absolutamente não. A opção mais segura é permanecer aqui e nos manter em segurança. Se alguma ajuda estiver a caminho, devemos esperar em um local seguro.

Ficamos sentados em silêncio novamente por mais algum tempo. Quint enterra a cara em sua pesquisa enquanto eu, meio sem ânimo, folheio alguns gibis.

O peso de todo esse horror... os pais desaparecidos, a babá zumbificada... preenche o quarto. Eu mal posso respirar. Preciso tirar o Quint dessa casa.

Finalmente me levanto e digo, tentando parecer animado:

— Vamos sair, cara. Podemos ir até a casa da árvore. Você tem que ver! Está toda modificada e ficou muito melhor do que era antes!

Mas Quint, obviamente, não se anima.

— Impossível! Todas as minhas pesquisas estão aqui. Não posso sair.

— Cara... — começo a falar. — Eu aperfeiçoei a minha fórmula de raspadinha de pico neon!

Quint levanta a cabeça e pisca duas vezes.

— Vou pegar minhas coisas — ele diz.

Quint diz que tem um "meio de transporte", então eu o sigo até a garagem escura, que cheira a gasolina e serragem. Ele aperta o interruptor de luz e o que eu vejo... Cara, tenho que pegar meu queixo do chão (não literalmente, isso é algo que os zumbis fazem). Estou olhando para um veículo pós-apocalíptico todo ferrado!

— Comecei mexendo na picape da minha mãe — Quint diz — e fui adicionando coisas...

Eu assobio, impressionado.

— Agora preste atenção, Jack — ele diz e começa a detalhar os dispositivos e parafernálias do carro. É incrível o que uma criança inteligente pode fazer quando não tem alguém incomodando para que termine a lição de casa ou para que troque as meias.

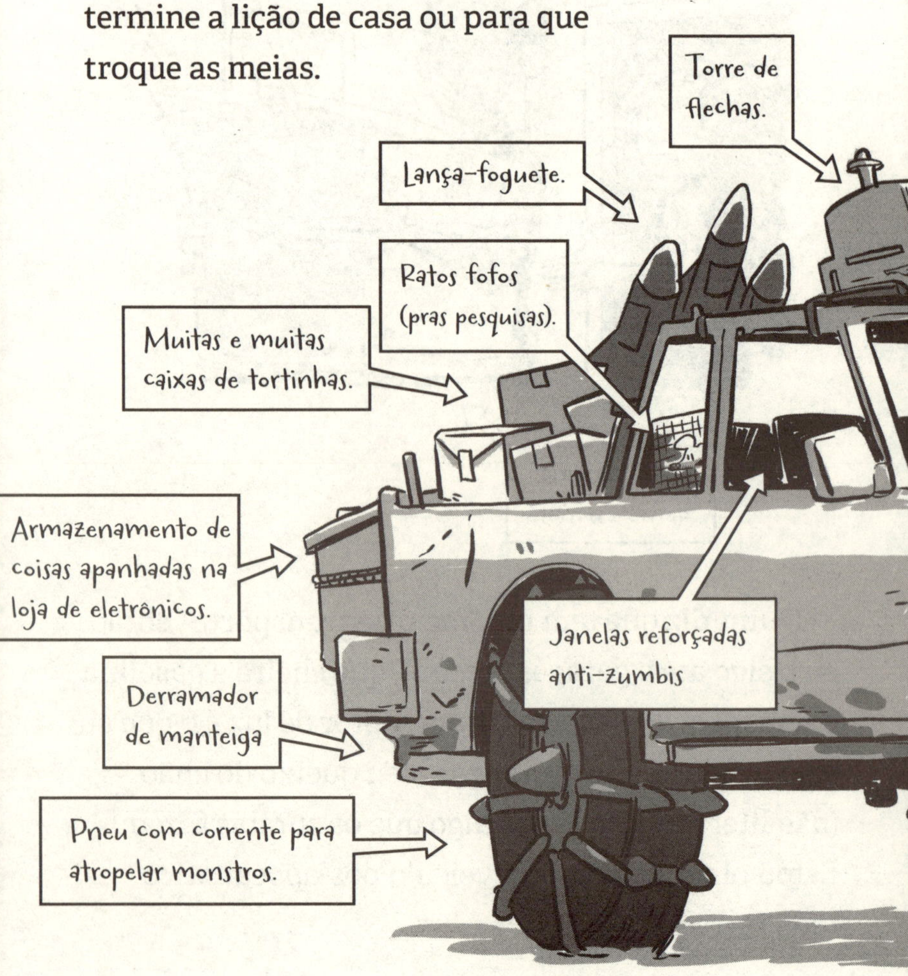

Passo as mãos pelo carro e pergunto:

— Qual o nome dele?

— Big Mama — Quint responde. — Em homenagem a, bom, minha mãezona.

Concordo com a cabeça. A mãe dele é bem grande.

— Nome perfeito, cara.

BIG MAMA

— Carro pós-Apocalíptico —

Passamos mais uma hora colocando todas as coisas das pesquisas, equipamentos e bonequinhos do Quint dentro da Big Mama. Quando tudo estava carregado, Quint fez uma pausa.

— Uma dúvida. Você tem ideia de como dirigir?

— Cara, temos treze anos — respondi.

— Certo... — Quint responde com cara de aflito.

— Eu já joguei umas duzentas horas de *Need for Speed*! É CLARO que eu sei dirigir. Sou praticamente um expert no assunto.

— Jack...

Conseguimos voltar para a casa da árvore sem grandes problemas. O único bloqueio que tivemos foi uma horda de zumbis bem na frente do velho campo de patinação, o que me forçou a dar a volta pelo centro da cidade.

Ao passar pelo que sobrou da loja onde o Blarg fica, diminuo a velocidade para ver se ele ainda está por lá. Não o vejo. Isso me preocupa. O Blarg está à solta e já conhece o meu cheiro...

Mas empurro esse pensamento para o fundo da mente. Hoje é um bom dia e não vou arruiná-lo com pensamentos sobre monstros gigantescos.

E esta noite é ainda melhor...

Para o jantar, Quint e eu estamos "cozinhando" sanduíches de biscoito recheados com chocolate e marshmallow e nos preparando pra jogar um pouco de Mario Kart.

Pela primeira vez, depois de muito tempo, eu sinto que está tudo bem. Eu encontrei o Quint!

E agora vou usar o cérebro mega-científico-inteligente dele para me ajudar a encontrar a June Del Toro e completar o Feito MÁXIMO de Sucesso Apocalíptico!

capítulo seis

Eu imagino que existam dois tipos de pessoa neste mundo:

O primeiro tipo: pessoas que pensam que viver em um mundo pós-apocalíptico abandonado seria algo incrível.

O segundo tipo: pessoas normais que pensam que as pessoas do primeiro grupo são clinicamente insanas.

Quint, definitivamente, é do tipo um. Todo dia ele acorda ao nascer do sol para "fazer pesquisas". Ele diz que precisamos documentar o fim do mundo de maneira apropriada, como cientistas.

Viu? É com isso que tenho de lidar.

O lado bom é que o Quint é um grande fã das minhas fotos — "pela ciência", ele diz. Não acho que ele entenda a arte nelas, apenas diz que estão ajudando bastante no processo todo de estudar os monstros.

Já eu ligo menos para o processo de estudar os monstros e mais para, bom, você sabe...

Mas tudo bem.

Visões diferentes de nerds diferentes.

O problema é que todas essas pesquisas ficam me lembrando que LÁ FORA É ASSUSTADOR, DE FAZER QUALQUER UM MOLHAR AS CALÇAS DE MEDO!

E quando algo é de te fazer molhar as calças de medo, é natural que você queira evitar. Talvez seja por isso que já faz dois dias que eu não saio para procurar a June.

Mas amanhã eu vou mudar isso.

Amanhã eu vou dar uma de herói, tipo, “E AÍ, SEUS ZUMBIS? ENTREGUEM AGORA MINHA AMIGA JUNE!”

Amanhã, bem cedinho, vamos vasculhar essa cidade à procura da June. Não apenas na escola e nem só na casa dela. Em todos os lugares. Em todos os prédios e casas. Em cada lugarzinho.

São 6h45 e estou bebendo vigorosamente um refrigerante quente de cereja e cafeína, tentando injetar um pouco de energia no meu corpo. Dou um chute gentil no Quint, que resmunga, meio grogue, olha para mim e murmura:

— Papai Noel?

— Quint. Preciso completar o meu Feito MÁXIMO de Sucesso Apocalíptico. Encontrar e, se necessário (o que com certeza será), resgatar a June Del Toro.

Quint grunhe algo, sai de seu saco de dormir e se arrasta em direção ao nosso pequeno banheiro. Bom, o banheiro é apenas um balde ao lado da casa na árvore. E temos uma regra: "Ninguém olha o que o outro está fazendo". Você não imaginaria que precisássemos de uma regra; mas, bom, o Quint é estranho, e coisas assim aconteciam sempre...

Quint tem um outro hábito bizarro. Ele sempre fala enquanto está lá fora no nosso balde/banheiro. Hoje ele diz:

— Antes de sairmos de carro por aí, vamos precisar de gasolina.

Veja só, temos usado gasolina aos galões para fazer o gerador funcionar para usarmos o Xbox, a torradeira, o helicóptero de brinquedo, a cadeira de massagens, as luzes de Natal e tudo mais.

Bolei um plano que eu ACHEI que era brilhante e que nos daria energia elétrica facilmente. Sabe aquelas rodas onde os ratos ficam correndo nos laboratórios? Eu queria pegar uma esteira da academia da escola e então...

O Quint disse que aquela ideia era, usando as palavras dele, "tão estupida, Jack, que não tenho certeza de como alguém que propõe algo assim consegue se vestir de manhã".

Respondi que tanto fazia e depois disse a ele que sua calça estava do avesso.

Enfim, concordei em pegar gasolina, não havia outra alternativa, era o único jeito de conseguir procurar a June. Me vesti a caráter, tomei outro refrigerante e embarquei na OPERAÇÃO JACK BUSCA GASOLINA. Nota mental: talvez precise de outro nome para esta ope...

Já tínhamos pegado gasolina de todos os carros por perto, por isso fui forçado a me aventurar um pouco mais longe...

Veja só, eu não tive muitas coisas na vida: grandes festas de aniversário, viagens para a Disney, piadas internas, ser parte de uma "panelinha" na escola — não tive nada disso, eu sei, e a maior parte dessas coisas nem me importavam mesmo.

E sabe por que está tudo bem?

Está tudo bem porque há uma sensação que você adquire quando está caminhando por uma terra de ninguém em um mundo pós-apocalíptico, com sua arma apoiada tranquila em seu ombro do mesmo jeito que uma espada longa deve ter sido apoiada no ombro do Rei Arthur e, cara, é uma baita sensação incrível.

E essa sensação, essa liberdade, essa independência total... não sei se trocaria isso por mil viagens à Disney World, à Disneylândia, à Disney Town, ao Estádio dos Yankees, a um mega zoológico ou a qualquer outro lugar onde os pais levem seus filhos. Quer dizer...

— BLARGGGGHHH!

Esse som me faz congelar. É o Blarg. O Monstro. E ele está perto.

Ando na ponta dos pés até a casa mais próxima e dou uma olhada pela lateral, passando por arbustos enormes.

— BLARGGGGHHH!

Dessa vez o som troveja ainda mais perto.

Uma treliça sobe pelo lado da casa, coberta de plantas selvagens. Lentamente, eu subo até o telhado para ter uma visão melhor.

Vejo a pele espessa e blindada das costas do Blarg e depois seu rosto e os olhos esbugalhados surgirem acima de uma grande casa, a poucos quarteirões ao sul.

Observo o Blarg se abaixar, desaparecer atrás da casa por um momento, depois levantar de novo, segurando um zumbi. Ele encara o morto-vivo.

Eu engulo em seco.

Será?

Por acaso o Blargh acha que aquele zumbi sou *eu*?

Finalmente, o rosto do Blarg se comprime, como se ele estivesse irritado. Em seguida, ele solta um rugido e empurra a coisa morta-viva em sua boca. Enquanto mastiga, o som dos ossos do pobre zumbi se quebrando ecoa através das ruas vazias do subúrbio.

Meu sangue gela. Mal posso respirar. Não consigo nem pensar em algo sarcástico para dizer. Abaixo a cabeça e me deito no telhado. E espero muito, muito tempo mesmo antes de me mover novamente.

É quase meio-dia quando finalmente tenho certeza de que o Blarg se foi, então desço pela treliça.

Agora... encontrar gasolina. Sem atrasos. E espero que sem o Blarg.

A sete quarteirões da casa da árvore, vejo uma minivan. Perfeito.

A tampa da gasolina precisa ser aberta por dentro. Eu tento a porta. Trancada. Me afasto, pego o Fatiador e... **KRAK!** Arrebento a janela e abro a tampa.

Dentro do carro, algo me chama a atenção. Uma foto branqueada de sol no painel.

Eles parecem a família mais feliz da Terra.

Mas e agora? Provavelmente estão cambaleando por Wakefield com seus corpos se deteriorando e os braços e pernas caindo.

Não consigo deixar de pensar em como eles pelo menos eram uma família de verdade. Tinham até um cachorro. Pelo menos eles tinham uma casa... uma casa de verdade, não um lugar aleatório diferente para o qual você é enviado todo ano.

Um lar.

Eles tinham o que eu sempre quis. E agora são zumbis; mas, pelo menos, por um tempo, eles tiveram.

Eu estava errado.

Eu menti antes. Não está tudo bem. Tem um monte de coisas na minha vida de que eu sinto falta, mas que não têm nem um pouco a ver com a Disney.

Bato a porta do carro com força. Chega de pensar em casa e família. Não se preocupe, não vou ficar todo sentimental, ainda sou o senhor piadista detonador de monstros. É que, as vezes... são as emoções, cara.

Pego um galão vazio, desrosqueio a tampa de combustível, coloco uma mangueira e começo a pegar a gasolina.

É quando ouço o barulho, que é tipo um rosnado suave.

Pego o Fatiador enquanto me viro lentamente.

Não sei que tipo de monstro é esse, nunca vi um assim antes, mas ele não tem cheiro de morte, o que é um bom sinal.

O monstro rosna novamente, com mais intensidade. Dou um passo para trás e então... O monstro ataca!

AH CARAMBA, AH CARAMBA, AH CARAMBA!

Eu me viro, corro e... **CAPOW!** Bato na lateral do carro. Caio no chão, e a próxima coisa que vejo é o monstro pulando em cima de mim e me prendendo.

É isso então. É o fim. Não consegui durar nem DOIS MESES depois do Apocalipse dos Monstros! Que grande herói você é, hein Jack?

O monstro abre bem a boca e...

— Ei, monstro, sai de cima de mim! Você tá com bafo de cachorro! — digo isso rindo enquanto consigo dar um jeito de sair de debaixo daquela coisa. Então ele fica ali sentado, com sua enorme língua amarela pra fora da boca, arfando.

— Valeu por não me comer, amigão — agradeço enquanto guardo o galão na mochila. — Muito obrigado mesmo.

Dou uma última olhada no monstro e começo a caminhada cuidadosa de volta para casa. Só que a enorme bola de pelos me segue...

Depois de dois quarteirões eu paro, me viro e grito:

— Ei, sai daqui! Você é um monstro! E eu sou um... hã, você sabe, um não monstro. Você não pode me seguir!

Mas não funciona.

Nada.

Tento falar com ele na língua dos monstros.

Nada ainda.

— Olha, monstro amigo, somos tipo Romeu e Julieta. A gente vem de mundos diferentes. Nunca vai dar certo!

Dez minutos depois, quando volto para a casa da árvore, ele ainda está em meus calcanhares. Saio do meio dos arbustos e...

— PARE AÍ MESMO!

Esse é o Quint. O capitão observador.

— Eu sei, cara. Ele me seguiu até aqui.

— Bom, então manda ele ir embora — Quint me fala.

— Já tentei isso. Ele não entende nossa língua e nem a minha impecável pronúncia de língua de monstro.

— E o que você sugere que a gente faça? — Quint pergunta.

— Bom, não fique bravo, mas... ele é muito dócil. Sugiro que a gente o deixe ficar. Ele pode jantar com a gente. Será que ele gosta de salgadinho?

— Você está louco, Jack? Absolutamente não! Adoraria estudar ele e aprender mais... mas isso é muito arriscado!

— Quint, estou ouvindo você me dizer "não". Mas acho que... aliás, tenho certeza de que seus olhos estão dizendo "sim".

— JACK!

Quint me olha, bufa e resmunga, mas depois de um minuto, volta para dentro da casa da árvore.

Acho que isso significa que ele aceitou. E acho que isso também significa que agora tenho um monstro de estimação. Acho que vou chamá-lo de... Rover.

Então pego minha lista do bolso e faço um grande e alegre X ao lado de...

FEITO: Conseguir um animal de estimação incrível

capítulo sete

Certo, agora é a hora, nada de brincadeira ou deixar para depois por algo bobo como "estar horrivelmente aterrorizado". Vamos vasculhar Wakefield atrás da June. Quint diz que estou louco. E também afirma que é algo quase impossível. E ainda diz que as chances de uma garota aleatória estar viva nesta cidade que parece ter bem poucos sobreviventes são infinitamente pequenas.

Mas como eu disse a ele, nada disso explica a sensação que tenho bem no fundo da barriga. Quint diz que devem ser apenas gases, então eu soco o braço dele.

Ficando bem sério, digo que nenhuma de suas explicações racionais podem explicar o olhar da June quando a vi entrar de volta na escola naquele dia. Um olhar que me dizia que eu a veria de novo, e não como zumbi. Eu a veria viva. E pode até ser que tenha um abraço envolvido nisso também.

Então saímos à procura. Estou atrás do volante da Big Mama, e vamos descendo a South Street, fazendo ziguezague para desviar de zumbis, postes caídos e outras porcarias apocalípticas.

Primeira parada, nossa antiga escola. Já estive aqui cinco vezes, sempre do lado de fora gritando o nome da June. Talvez ela não tenha me ouvido. Então, hoje, subo na caçamba da picape, pego um megafone que encontrei no Corpo de Bombeiros e tento uma nova estratégia:

Quint fica me encarando do banco do passageiro.

— Herói de ação pós-apocalíptico? É assim que você está chamando a si mesmo?

Dou de ombros.

— E daí? É o que sou mesmo.

Quint lança um olhar de desdém.

— Bom, é melhor do que Jack Sullivan, o Garoto Comedor de Salgadinhos da Casa da Árvore! — explico.

— Então eu quero um título bacana também — Quint me diz. — Quint Baker, Analista Científico.

— Você tem a chance de se dar qualquer título que quiser e resolve ser Analista Científico?

Quint dá de ombros de novo.

— Analise Cientifica é bem *descolado*, Jack.

Balanço a cabeça e volto a gritar para a escola. Tentamos por uns dez minutos. Nada.

— Vamos tentar o shopping — eu digo, voltando ao banco do motorista e engatando a marcha.

Mas enquanto conduzo a Big Mama por cima da calçada e atropelo uma caixa de correio, Quint de repente grita:

— JÁ CHEGA!!!

— Hã? O quê? Onde?! O que foi?

— NÃO AGUENTO MAIS, MEU AMIGO! — Quint exclama. — Você precisa aprender a dirigir.

— Do que você tá falando? Sou um motorista incrível!

EVIDÊNCIAS DE UM MOTORISTA INCRÍVEL

Olha só, acho que estou indo muito bem para um cara cuja experiência total de direção até hoje se limitou a segurar um controle de Xbox One e apenas apertar o botão R o mais forte que eu conseguia. Mas o Quint não acha que isso é bom o suficiente.

Duas horas depois, ele me levou até as docas e me fez dirigir desviando de cones e praticar manobras para a esquerda e para a direita. Até os zumbis ficaram entediados.

Então Quint resolve me fazer treinar baliza...

Finalmente eu digo:

— JÁ CHEGA!!! Está na hora de um pouco de diversão.

Eu disparo pelo estacionamento. O motor ruge. A Big Mama está roncando e chacoalhando, e a direção parece gigantesca nas minhas mãos.

— Compartimento de cargas bem à frente! — Quint grita.

Viro a direção com força para a direita, e a Big Mama dá uma guinada. Já estamos dobrando a esquina quando, do nada, algo vivo aparece na nossa frente! O que quer que seja, mergulha para fora do caminho um instante antes de eu o acertar!

Enfio o pé no freio e os pneus guincham enquanto giramos e paramos.

— Acho que era uma pessoa — falei com a voz falhando. — Temos que sair e dar uma olhada.

— Não necessariamente — Quint responde, olhando para o espelho retrovisor lateral. — É uma pessoa. Mais ou menos.

Quint se vira para mim e seu rosto está contraído, como se estivesse com problemas estomacais.

— É o Dirk Savage.

Olho no espelho retrovisor. O Quint tem razão. Tremendo um pouco, estico a mão para abrir a porta.

— O que você está fazendo? — Quint me pergunta.

— Ele é um sobrevivente. Como nós. Não podemos deixá-lo para trás.

— Mas eu odeio o Dirk! Ele é terrível, e sempre me detona! — Quint exclama. — Não o quero na nossa casa. Eu faço minha pesquisa lá, Jack. A MINHA PESQUISA. É o meu lugar especial.

— Não podemos deixá-lo para trás — repito.

Consigo ver as engrenagens rodando na cabeça do Quint. Depois de um longo momento, ele diz:

— Está bem. Mas peça para ele ser gentil comigo!

Uma horda de zumbis nos percebeu e agora está mudando de direção e vindo para cá. Temos que ser rápidos. Saio do carro e lá está ele...

Dirk está parado em pé no meio do estacionamento, como se fosse um pistoleiro do Velho Oeste. Se houvesse bolas de feno em Wakefield, como certeza uma passaria rolando pela gente neste momento.

— Ei, caubói — falo com a voz mais grossa de cara durão que consigo.

Então... o que eu falo? Quais são as regras agora? Como temos que nos comportar agora que o mundo desceu pelo ralo?

De repente, os olhos de Dirk giram para o lado. Ah não, será algum tipo de armadilha? Será que fomos enganados e vão nos pegar?

Não...

Pior...

— MONSTRO VOADOR! — Dirk berra.

Ouço um grito horripilante vindo do alto, e então uma fera grotesca está descendo sobre nós. É um...

— MONSTRO ALADO —

Um momento antes do monstro alado enfiar as garras em mim e me arrancar do chão, Dirk Savage me empurra para o lado!

O Monstro Alado faz a volta no ar.

Dirk acompanha o monstro com o olhar. As mãos bem abertas. Na ponta dos pés. Ele parece um leão todo encolhido se preparando para dar o bote.

E ele dá o bote...

LANÇAMENTO DE MONSTROS!

Uau! Achei que eu fosse bom em detonar monstros, mas o Dirk é demais!

Dirk arremessa o Monstro Alado na parede mais próxima. Pedaços de tijolos chovem. O monstro solta um uivo de dor e então voa para longe, batendo as asas de forma meio capenga. Estamos salvos.

Então o Dirk me faz um aceno de cabeça curto e sério, um "de nada" bem machão, vira de costas e começa a ir embora.

— Espera! — digo para ele. — Hã... aonde você vai?

— Os monstros vão voltar. Mais deles. Preciso me esconder — ele responde.

Percebo então que a relação de intimidador/ intimidado mudou completamente. Suas roupas estão velhas e rasgadas. Ele está claramente sozinho. Dirk Savage precisa da minha amizade muito mais do que eu já precisei da amizade dele.

— Bom, hã... você quer, tipo... ficar com a gente? — pergunto. — Estou com o Quint e temos uma casa na árvore. E tem espaço... quero dizer, se você quiser...

Dirk me olha como se eu o tivesse tirado pra dançar uma música lenta.

— O que eu ia querer com dois perdedores como vocês?

Eu não respondo.

Depois de um momento, ele baixa a cabeça e olha para o chão. Então chuta uma tampinha.

— Vamos lá — eu tento. — Você pode continuar a bancar o durão solitário. Apenas faça isso estando com a gente.

— Sem chances — ele responde. — Não dá pra ser solitário se não estiver sozinho.

Eu suspiro.

— Cara, eu não vou implorar.

Dirk levanta a cabeça e então murmura algo que parece com:

— Bom, se vai fazer você calar a boca...

Quint parece que vai jogar seu lanche fora quando vê Dirk entrar no banco de trás. E então começa a gaguejar...

— Opa, hã, oi... Dirk! Sr. Savage... hã... Sr. Dirk? Então... como vão as coisas? Está curtindo o Apocalipse?

Quint faz uma careta.

— Não, Dirk. Não tenho.

Dirk gargalha. Ele tem um gritinho estridente que você nunca esperaria que saísse desse garoto valentão que parece um homem de trinta e oito anos.

— Bom, que pena. Mas você pode fazer um para mim mais tarde.

Quint me lança um olhar daqueles. Um olhar que diz: "Jack, vou estrangular você com seus cadarços".

— Então, o que vocês estavam fazendo por aqui? — Dirk pergunta. — Procurando um lugar para brincar de boneca?

— Não — eu respondo. — Apesar de eu realmente ter uma queda pela Barbie Malibu. Sei lá, ela é tão praiana e saudável...

Quint revira os olhos.

— Estamos procurando a June Del Toro. O Jack está querendo achar ela.

— Bom, ela não está em casa — Dirk afirma.

Espera aí, o quê? Meu coração começa a bater mais forte. O que o Dirk sabe?

— Eu a vi umas semanas atrás lá na Festa das Tábuas procurando comida.

Meu rosto fica quente e eu giro na cadeira.

— E você a ajudou? Você a ajudou, né? Não, você não ajudou, certo? Por que você não a ajudou??

Dirk me encara.

— Relaxa cara. Não tive a chance. Ela foi embora antes que eu chegasse perto.

— Mas ela está viva! E na cidade! — exclamo e olho pro Quint. — EU TE DISSE! TOMA ESSA, QUINT!

Quint faz uma careta e diz:

— Ou ela ESTAVA viva algumas semanas atrás...

— Quint, não seja negativo. Estamos fazendo progressos!

Sento direito no assento e fecho os olhos. Eu consigo imaginá-la, encolhida, aterrorizada, cercada de monstros. Acho que deve ser exatamente o que está acontecendo agora...

Alguém pode me salvar, por favor?

Alguém tipo, sei lá, o herói de ação pós-apocalíptico Jack Sullivan?

PROVAVELMENTE É EXATAMENTE O QUE ESTÁ ACONTECENDO AGORA...

capítulo oito

Agora, absolutamente todos os dias, saio de carro tocando a buzina da Big Mama. Faço isso pela manhã, sozinho, antes de Quint e Dirk acordarem. Depois de alguns quarteirões, pego o megafone e...

— June Del Toro! Você está aqui? June Del Toro! Você pode me ouvir?

Sem sorte.

Está começando a parecer a busca de uma agulha no palheiro. Ou, no caso, por uma June no palheiro.

Hoje passo pela Rua 12. O que me lembra que é quase dia 12 de agosto. O aniversário do Quint!

Eu nunca planejei uma festa de aniversário antes. As mães, os pais e meninas são bons nisso. Então, há muita pressão sobre mim, não posso estragar tudo.

Uma festa deve ser grande e cheia, para que o aniversariante se sinta admirado, apreciado e aceito. Quer dizer, é como eu sempre vejo no cinema, na TV e em lugares assim.

Então... estava pensando em tentar juntar um monte de zumbis e fazer algo mais ou menos assim...

Hã, pode apagar isso. Vou continuar pensando...

O Rover é incrível. Eu sempre quis um cachorro, mas quando se é um órfão que sempre está sendo mandado para vários lugares, a gente não consegue ter um cachorro. Você pode até ficar com uma família que tem, mas então começa a brincar com ele e a ter ótimos momentos e, logo em seguida... você é mandado para uma nova família e adeus Au-au.

Mas agora eu tenho meu próprio cachorro... e é um cachorro monstro.

Estou tentando ensinar uns truques pra ele. Está funcionando mais ou menos.

Huuum.

— Que tal fingir de morto?

Quint se arrasta para fora e interrompe nossos jogos. Seus olhos estão vermelhos e há grandes bolsas embaixo deles. Não acho que ele tenha dormido bem nos últimos dias.

Ele me entrega um pedaço de papel.

— É uma lista de compras. Precisamos de tudo dela, ok?

A lista é cheia de cordas elásticas de bungee jump, tubos de metal, cordas normais e todo tipo de porcarias.

— O que é tudo isso? — pergunto.

Quint sorri com seu sorriso esquisito.

— Propósitos inventivos. Confie em mim, Jack, você vai gostar.

Vou precisar ir à Festa das Tábuas, e isso é uma jornada. Subo até a casa na árvore. Dirk está sentado em um canto, lendo um gibi do Hulk.

— Me avisa se precisar de ajuda com alguma das palavras difíceis.

Dirk fecha a cara.

— O que você quer?

— Temos que ir buscar umas coisas — respondo. — Vamos.

Dirk sacode a cabeça, resmunga, mas se levanta. Ele veste seu velho moletom cinza, calça as luvas de arrebentar monstros e me segue descendo da casa na árvore.

Ele vai até Quint, que está sentado na mesa de piquenique, examinando algumas plantas de projetos.

— Ei, bobão — Dirk dispara. — Por que nós é que temos que ir buscar essas coisas todas? Por que você mesmo não vai?

— Porque sou mais importante aqui — Quint responde, realmente acreditando nisso.

— Você acha que é mais importante do que eu? — Dirk retruca.

— Não, eu falei que sou mais importante ficando aqui. Frases parecidas, mas com significados bem diferentes...

— Vou te mostrar um significado diferente para... — Dirk começa a dizer.

Quint levanta as duas mãos abertas.

— Dirk, você não tem nenhuma razão para ter raiva de mim. Você claramente está carregando um peso nos ombros, e...

— Espera aí, um peso? — Olho para o Dirk. — Você tem comida escondida aí?

Quint revira os olhos.

— Jack...

Fico na ponta dos pés e examino as costas de Dirk.

— Será que tem chocolate aí? Ou serão salgadinhos? Não, salgadinho não pesa. Mas seja o que for, tô com fome.

— NÃO ESTOU FALANDO DE UM PESO VERDADEIRO, JACK. É só um ditado estúpido.

— Bom, Quint, o seu ditado estúpido me deixou com fome. É culpa sua, entããããooooo... acho que você deveria fazer o jantar para nós hoje.

Quint olha feio para mim, como se estivesse tentando lançar raios nos meus globos oculares.

— E se você fizer o jantar para nós — eu digo —, o Dirk vai concordar em não ser um babaca. Certo, Dirk?

Você viu a estratégia que eu usei? Sou um mestre da mediação.

Dirk me encara por um momento, depois olha para o Quint.

— Apenas me diga a verdadeira razão pela qual você não quer ir.

Quint encolhe os ombros.

— Eu tenho medo.

Dirk fica olhando para o Quint, então diz:

— Bom, pelo menos você é honesto.

Então, finalmente eu e o Dirk vamos até a Big Mama.

— Tentem achar salgadinhos! — Quint grita para nós. — Agora também fiquei com vontade de comer salgadinhos.

O estacionamento da Festa das Tábuas é a estação central dos zumbis. Mortos-vivos pedreiros e funcionários da loja se arrastam por aqui, sempre gemendo e ávidos para comer qualquer humano vivo que apareça por perto.

Mas eu vim preparado. Trouxe a Máquina de Gritos.

Ela é a DEFINIÇÃO DE DISTRAÇÃO. Quint e eu a construímos algumas semanas atrás. Viramos a noite tomando refrigerante com cafeína extra, comendo balinhas de goma azedas com validade vencida e vendo filmes de terror.

Quint gravou todas as cenas com pessoas gritando, então passou o áudio para o velho iPhone da mãe dele. Ligamos o celular a uma caixa de som poderosa e então colocamos um timer de cozinha.

— A Máquina de Gritos —

Você escolhe um local para colocar a Máquina de Gritos, gira o botão do timer, e quando o tempo terminar, o autofalante vai lançar os gritos no máximo de seus decibéis. Isso vai atrair os zumbis cambaleando, porque eles pensarão que os gritos pertencem a pobres e azarados seres humanos ainda vivos.

Na ponta do estacionamento, ponho dois minutos no timer e coloco a Máquina de Gritos no chão. Quando ela dispara, nossa, parece exatamente com, bem... com o que você sabe que está acontecendo na Terra hoje:

AIIIIIEEEEEEEEEEEEEE!!!!!!

Acontece uma migração em massa dos zumbis, deixando o caminho livre para Dirk e eu chegarmos à entrada da loja. Nós aproveitamos e entramos.

Nós pegamos um carrinho. Dirk é dedicado e sai rastreando tudo o que há na lista. Eu sou menos dedicado e vou direto para as ferramentas elétricas. Passo dez minutos pesando os prós e contras de uma variedade de coisas malucas que poderia fazer com elas. Já estamos indo para a saída quando eu vejo.

AQUILO.

Algo incrível. Algo dos céus.

— Dirk — começo a falar. — Nós precisamos daquela mesa de pingue-pongue. É ISSO que vou dar de aniversário para o Quint!

Já esperava ouvir o Dirk dizendo que era uma ideia idiota e que eu era um idiota e tonto e blá blá, idiota, burro e tonto; mas, em vez disso, seus olhos se iluminaram e ele falou:

— Eu amo pingue-pongue!

— E quem não ama? Você teria que ser algum tipo de demônio do ódio para não gostar de pingue-pongue.

Estamos nos aproximando da mesa quando o Dirk para. Ele fareja o ar e então diz:

— Jack, você não tem usado desodorante?

— Eu não acho que não preciso ainda... — começo a responder.

— Você tá fedendo — Dirk me interrompe.

Então nós dois sentimos o cheiro. Não são meus sovacos. É um fedor fétido e terrível que domina o nariz... parece mofo misturado com morte recente.

Dirk e eu nos viramos e...

Estou assustado. Muito mais do que assustado. Assustado ao quadrado. Assustado ao extremo.

— Dirk — eu sussurro. — Já lutei com esse monstro antes. Tá vendo essa cicatriz na testa dele? Fui eu que fiz. Então eu o vi de novo, a poucos quarteirões da casa na árvore. Acho que ele está, hã, tipo, me caçando.

— Muito bem, Jack — Dirk fala. — Realmente ótimo.

— Além disso, apenas pra você saber, o nome dele é Blarg — eu sussurro.

— Por que o nome dele é...

O Blarg não aterroriza apenas humanos minúsculos como eu, ele também assusta zumbis. Em segundos, eles estão passando rápido por nós, indo em direção à porta. Toda uma confusão de zumbis se arrastando e cambaleando.

É quando Dirk fala algo. E é uma frase que pensei que nunca ouviria.

— Hã?

Antes que eu possa reagir, Dirk passa por mim correndo e pega a mesa, que deve pesar uns 45 quilos.

— Me segue! — ele grita.

ESCAPADA FORTE DO PINGUE-PONGUE

Dirk e eu corremos pelo estacionamento. A Máquina de Gritos ainda está gritando. Dirk empurra a mesa de pingue-pongue e todas as porcarias do Quint na caçamba da Big Mama enquanto eu sento no banco do motorista. Dirk entra já gritando:

— Vai, vai, vai!

Atrás de nós, o Blarg irrompe pela porta da Festa das Tábuas derrubando as paredes. O estrondo é tão alto quanto uma banda caindo de um penhasco. O Blarg é como um tanque, arrebentando carros e pisoteando carrinhos de compras.

— Essa coisa vai nos matar! — Dirk grita. Pela primeira vez ele parece assustado. Quem diria? No fim das contas ele é humano.

— Não se preocupe — respondo. — A Big Mama está preparada para uma situação como essa...

Olho para o painel de controle e ligo o interruptor marcado como DERRAMADOR DE MANTEIGA.

O Blarg dá mais um passo e... ESCORREGA!

Seu pé vai embora, ele tenta se segurar em um poste de luz, que se QUEBRA em dois, e então...

Big Mama: 1

Blarg: 0

Conforme vamos nos afastando em velocidade, dou uma olhada para o espelho retrovisor.

Os olhos do Blarg. Os muitos olhos dele estão nos observando. *Me* observando. EU! Me odiando e prometendo vingança. Sinto uma sensação horrível de que me encontrarei com esse vilão novamente.

— Hã... este carro tem derramador de manteiga? — Dirk pergunta, me fazendo sair do meu transe de terror induzido pelo Blarg.

Faço que sim com a cabeça.

— Tem. Bem irado, né? Foi ideia do Quint. Tivemos que carregar quatro barris de manteiga lá do cinema, mas valeu a pena.

— Os derramadores de manteiga salvaram nossos traseiros — Dirk acrescenta.

Concordo de novo com a cabeça. Quint é muito bom em salvar traseiros. Salvou o meu muitas vezes. Ele é um salvador de traseiros de primeira.

Dirk fica quieto por um momento. Por fim, ele diz:

— Talvez eu não dê crédito suficiente a esse moleque...

Quando voltamos para a casa na árvore, Quint está a caminho de ter um surto nervoso completo.

— Por que vocês demoraram tanto? — ele grita. — Eu pensei que tinham virado comida de zumbi!

— Nós demos de cara com alguns problemas — respondo.

Quint franze a testa.

— Mas não se preocupe — continuo. — Depois que *demos de cara* com o problema, nós *fugimos* do problema.

— Eu trouxe um presente de aniversário pra você — Dirk interrompeu.

— O que, Dirk? Soquinho na cabeça? Um soco no nariz?

— Não, de verdade. Mas não é só meu. É meu e do Jack. De nós dois. Feliz aniversário, *nerd* — Dirk diz, esticando as mãos para a parte de trás da Big Mama e revelando nossa superincrível nova mesa de pingue-pongue (que também funciona como um bom escudo improvisado, como aprendemos na loja).

Os olhos de Quint se iluminam.

Então Dirk vai em frente e estica a mão. Quint se encolhe. Meio que tropeça para trás, como se achasse que é uma armadilha.

Dirk revira os olhos. Quint para. Ele endireita a coluna e fica o mais ereto que eu já o vi ficar. Então se aproxima e aperta a mão de Dirk.

Viu só? pingue-pongue resolve todos os problemas.

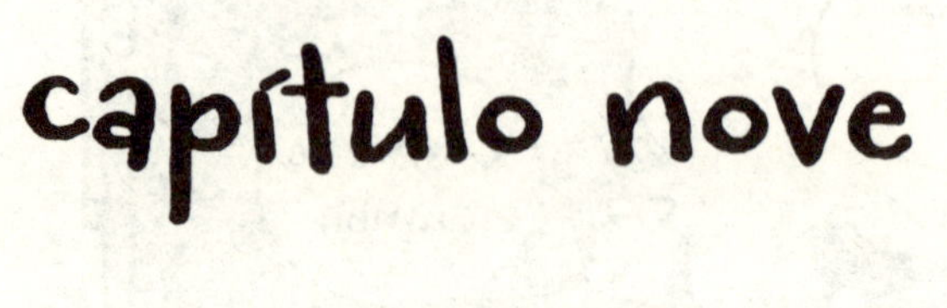

Depois da nossa pequena comemoração de aniversário, conto a Quint tudo que aconteceu com o monstro Blarg, e Quint ENLOUQUECE.

Eu falo para ele parar de ser um super reator exagerado, mas secretamente, fico feliz que Quint saiba a ameaça que o Blarg é.

Quint coloca seu atual projeto super-secreto em espera — o projeto para o qual nós fomos buscar coisas na Festa das Tábuas —, até que terminemos de armar e proteger a casa na árvore. Ele manda Dirk derrubar a parede dos fundos, que dá para a garagem dos Robinson, para que possamos entrar sem precisar abri-la pela rua lateral da casa. E dentro da garagem, Quint monta uma oficina completa de invenções...

Lançador de bolas explosivas.

Frisbees afiados.

Sapatos com molas.

Oficina do Quint!
Zumbi falso para testar equipamentos.
Parede de bonequinhos.
Gancho de agarro.
Pipoqueira antiga.
Minhas fotos pra pesquisas.
Caixa com salgadinhos.
Ratos peludos (em gaiolas).

Enquanto Quint passa seu tempo na garagem trabalhando em plantas para a nova casa na árvore fortificada, eu e o Dirk nos mantemos ocupados e assim o tempo voa...

E eu tiro mais fotos. *Fotos incríveis.*

Em algumas tardes, eu e o Dirk simplesmente saímos e procuramos encrenca.

De tempos em tempos, Quint faz uma lista para que o Dirk e eu consigamos coisas para ajudar a armar e a defender a casa na árvore. E é fácil, a cidade é um grande *self-service*! Tudo esperando para ser recolhido. Fogos de artifício, videogames, trampolins, realmente tudo.

Dirk usa um spray para pintar um Blarg quase em tamanho natural na parede da casa vizinha. Quint diz que preciso estar preparado para que a próxima vez que eu encontrar o Blarg seja a última, não por ele arrancar meus olhos ou algo assim, mas porque vou acabar com ele.

Lembra que eu disse que via as coisas como se fossem games? Bom, se a vida é um videogame agora, com certeza sinto que o Blarg é o chefão final. E todo mundo sabe que NUNCA se luta com o chefão sem estar preparado.

Me sento e fico examinando a enorme pintura na lateral da casa. Então olho bem para a testa dele e para a cicatriz.

O que foi que o Arnold disse naquele filme que tinha um caçador alienígena?

Enquanto passo meu tempo treinado pancadas no Blarg de tinta-spray, o Dirk termina de cavar nosso fosso, que na verdade é tipo uma piscina ao redor da casa na árvore. Tivemos que esperar uma chuva forte para encher nossa piscina. Ela é bem lamacenta, mas, mesmo assim, é o nosso próprio fosso-piscina.

Sempre que o Quint faz uma pausa em suas tramas e planejamentos, jogamos jogos de piscina. Tipo goleiro de trampolim.

Quint e eu somos terríveis em goleiro de trampolim. Não consegui agarrar uma bola sequer até agora. Sempre algo dá errado: ou eu pulo alto demais, ou ele joga a bola na direção errada.

E ainda continuo, todas as manhãs e finais de tarde, pegando a Big Mama e saindo para dar uma volta, rodando pelas ruas e gritando: "June Del Toro! Você está por aqui? June Del Toro! Você está por aqui?".

E ainda nada.

Mas não vou perder as esperanças.

Enfim, é isso. A vida agora é essa.

E em noites aleatórias, quando o tempo está bom, Quint, Dirk e eu fazemos algo diferente.

Nós paramos.

Simplesmente paramos de nos aventurar, paramos de pesquisar, paramos de lutar com monstros e simplesmente aproveitamos um pouco. Fazemos coquetéis de refrigerante, assamos marshmallows e nos sentamos, relaxamos e aproveitamos o pôr do sol pós-apocalíptico.

Apenas eu e meus melhores amigos, aproveitando a casa na árvore durante o fim do mundo.

Ah sim, agora essa belezinha está armada até os dentes.

Fortaleza iradona

Mas não se esqueça, eu sei tudo sobre ser ejetado de situações bacanas. Logo que algo na minha vida fica bom, a situação muda rapidamente. Alguma coisa ruim aparece e toma o lugar da boa.

E suspeito que eu saiba bem o que é esse "algo ruim" dessa vez.

O Blarg.

Meu sexto sentido está gritando. Um zumbido na parte de trás da minha cabeça, me dizendo que aquele monstro de pesadelos está ficando cansado de esperar por mim. Que em breve, o Blarg virá para acabar comigo...

capítulo dez

Já é de tarde e eu comi todos os donuts quando Quint e Dirk finalmente saem da garagem, prontos para revelar o projeto secreto que nos fez ir à Festa das Tábuas. Dirk está carregando uma engenhoca feita de cordas normais e de *bungee jump* e um velho assento de motocicleta Harley-Davidson que arrancamos da moto do vizinho zumbificado.

— Hum... o que é isso? — pergunto.

— Mas que porcaria é essa? — respondo.

Quint assobia, e o Rover vem correndo. Dirk começa a colocar a coisa nas costas do Rover. Não acredito no que estou vendo. É uma sela. Uma sela para montar o Rover.

Se isso funcionar, ele não vai ser só um monstro brincalhão que fica por perto e quase consegue fazer truques de cachorro.

Agora ele será...

— A Fera —

E simples assim, o Rover começa a se mover. Seguro as rédeas, e meu monstro de estimação desembesta pelo quintal como um cavalo em fuga.

— Hã... caras? — eu grito, mas já é tarde demais...

Rover atravessa a cerca do quintal e sai correndo pela rua.

Mas o Rover apenas acelera. Ele desce pela rua Prescott arrebentando cercas, atravessando quintais, quebrando portas da frente, passando por dentro das casas e detonando tudo.

Enquanto o Rover dá uma guinada na direção da floresta da cidade, vejo uma grande massa de Trepadeiras à nossa frente. São plantas que parecem serpentes, se esticando ansiosas e prontas para me sufocar no instante em que eu chegar perto. Consigo tirar o Fatiador da bainha bem a tempo, então giro ele e...

Passamos rapidamente pelas plantas-monstro comedoras de homens e então o Rover nos leva por um caminho de árvores até ao topo do Morro do Urso, o ponto mais alto da cidade.

Rover desacelera e começa a trotar.

— Eu só preciso te ensinar como parar, amigão — eu falo coçando as orelhas de Rover enquanto dou uma olhada em volta. Dá para ver a cidade toda do Morro do Urso.

Consigo ver a loja de quadrinhos.

Consigo ver o campo de futebol americano da escola de ensino médio.

Consigo ver a Escola Parker de Ensino Fundamental, a nossa... *A nossa escola.*

Eu estremeço. Tem algo pendurado em uma das janelas. Pego a minha câmera e dou um zoom para ver melhor.

Um moletom. E eu conheço aquele moletom. É da June Del Toro.

Isso significa que...

Ela ainda deve estar na escola! Ela não deve ter saído mais de lá depois da loucura no estacionamento! Ela deve estar presa lá dentro, talvez em um lugar de que não consiga me ouvir ou em um de onde ela não consiga responder de volta.

Caramba, caramba, caramba! Agora é a hora.

AGORA É A HORA!

Rover,
é hora de
completar o...
Feito Máximo
de Sucesso
Apocalíptico.

capítulo onze

Nem o Quint nem o Dirk realmente entendem a necessidade que tenho de resgatar a June.

— Simplesmente temos que ir! — eu insisto. — É a coisa certa a fazer.

Quint revira os olhos e se inclina para o Dirk.

Argh!

Digo que sim só para calar a boca deles, e então todos concordamos de ir até a escola para resgatar a June.

Nos reunimos em volta do grande mapa no centro de comando para decidirmos uma boa rota para cruzar a cidade. Depois de um intenso debate, decidimos:

1. Descer pela rua Sul, passando a zona da Besta.
2. Cruzar a velha ponte, onde o Octobruto vive (PASSAR BEM RÁPIDO AQUI!).
3. Circundar a pedreira, onde fica o Monstro Gigante de Pedra.
4. Descer direto a rua Principal, o que requer uma ótima habilidade de direção para desviar dos muitos carros abandonados e mortos-vivos.
5. Subir a rua Primavera até a Escola Parker de Ensino Fundamental, quando então entraremos correndo e eu vou dizer: "JUNE, ESTOU AQUI PARA RESGATÁ--LA! VENHA COMIGO SE QUISER VIVER!", e então a June vai responder: "OH, MUITO OBRIGADO, JACK SULLIVAN! VOCÊ É UM HERÓI INCRÍVEL!".
6. Todos entrarem de volta na Big Mama e rodar até a casa na árvore tocando músicas heroicas de verão.
7. Viver felizes para sempre, matando monstros e aproveitando uma boa vida.

Nós basicamente concordamos com tudo isso...

Mas e o Rover?

O Quint está trabalhando em construir para ele uma casinha de cachorro (ou seria de monstro) no estilo da casa do Snoopy, onde o Rover poderia dormir e brincar com seu osso.

Mas a casinha de monstro ainda não está pronta, então eu digo para o Rover (como se ele pudesse me entender...):

— Rover, tenho que ir fazer algo bem importante. São coisas de Herói Pós-Apocalíptico. Você fica aqui e, uma vez na vida, NÃO ME SIGA!

Rover faz uma carinha megatriste de monstro bebê de estimação.

— Não faça essa cara para mim, Rover — eu digo a ele. — Estaremos de volta no tempo de duas abanadas de rabo de monstro.

Já dentro da Big Mama, aperto o volante de couro com as duas mãos.

Eu não acredito. Isso está mesmo acontecendo. O momento que eu estava esperando. A oportunidade de, verdadeiramente, ser Jack Sullivan, Herói de Ação Pós-Apocalíptico. Chegou a hora. E é isso então... o maior de todos...

JORNADA PELA MONSTROLÂNDIA PARA RESGATAR A JUNE!

E NÓS PARTIMOS!!

Na Velha Ponte, passo voando pelo Octobruto, que salta da água para a ponte sacudindo seus tentáculos viscosos. Nossos lança-foguetes não falham e cuidam do problema...

Na pedreira, já tô queimando a borracha dos pneus, então piso fundo e passo por baixo do Monstro Gigante de Pedra.

Não acho que ele seja muito inteligente...

Subindo a rua Principal, faço meu melhor para não bater em cada um dos carros parados. Acerto apenas seis bicicletas, duas placas de pare e uma BMW legal pacas.

Nada mau para um novato em alta velocidade!

Chegando à esquina com a rua Verão, finalmente eu vejo.

Nosso objetivo.

A Escola Parker de Ensino Fundamental! E então... caramba.

MUITOS ZUMBIS!

Viro a direção e faço a Big Mama subir pela calçada. Piso fundo no freio, a picape desliza, gira 180 graus, arranca grama e BATE no grande e velho carvalho em frente à escola.

Estamos à distância de um cuspe da entrada. Podemos nos preocupar em soltar a Big Mama quando sairmos.

— É hora do resgate! — eu grito.

Saímos da picape e subimos os degraus da frente da escola. Eu agarro a maçaneta e... *clink!*

Está trancada! Eu olho para trás, na direção da Big Mama. Zumbis estão vindo de todas as direções! Cercando o carro e nos cercando.

É um enxame de zumbis!

E agora não temos como escapar e nem como entrar na escola.

Talvez este não tenha sido o "melhor plano já feito na história dos planos!"

Aperto a maçaneta e uso toda a força que eu tenho, mas a porta nem se mexe. Porcaria! Que porcaria de braços fracos e patéticos que eu tenho!

Quint coça o queixo.

— Se eu conseguisse criar uma carga elétrica, poderia explodir a porta pelas dobradiças. Mas isso levaria pelo menos...

CRAAK!!!

— Ah, eu afrouxei pra você — murmuro enquanto entro na escola. Ouvimos um KA-KLANG quando Dirk encaixa a porta no lugar de novo atrás de nós.

Agora, vamos falar do problema das escolas. Eu odeio escolas. Provavelmente você também. As crianças em geral não gostam. Mas eu odeio escolas MUITO MAIS do que a maioria das pessoas. Para você entender, eu frequentei mais ou menos umas dez escolas diferentes nos meus treze anos de vida. A cada ano, jogado de uma cidade para a outra, sempre uma casa nova e uma escola nova para ir.

Para mim, toda vez que entro em uma escola, é uma lembrança de como eu não sou normal. Como eu não sou igual às pessoas comuns. Como eu simplesmente não me encaixo aqui.

E, falando sério, como já disse antes, se você acha que estou tentando ganhar a sua compaixão ou algo assim, eu não estou. Só estou dizendo que, por mais que talvez você odeie a escola, eu odeio umas 88 vezes mais.

Então, quando entrei e vi que ela estava devastada e quase destruída, fiquei surpreso por me sentir... bom, por ficar triste.

Mas acho que sei por quê. Esta escola é onde conheci o Quint. O melhor amigo que eu já tive. E embora eu o conheça há menos de um ano, é a amizade mais longa que já tive.

E foi aqui que conheci o Dirk. O grandão, amável, idiota e ex-valentão Dirk.

E a June.

June, que está em algum lugar neste prédio, presa, em perigo, possivelmente ferida, desesperadamente precisando da nossa ajuda. A June que não gosta muito de mim. A June que, mesmo assim, estou tentando salvar.

Quanto mais entramos na escola, mais escuro fica. Logo, mal conseguimos enxergar. Quint enfia a mão na sacola e tira uma pequena lanterna de cabeça porque, é claro, o Quint obviamente teria algo assim. E eu não vou zoar, porque é realmente útil para nós.

O Quint acende sua lanterna e vemos...

Nada.

Está vazia. Abandonada. O chão está cheio de papel rasgado. Cartazes de bailes da escola que deveriam ter acontecido meses atrás. Nenhum zumbi, nenhum monstro, nada.

Está um grande silêncio.

E como dizem os heróis como eu: está silencioso demais.

Nossos passos ecoam enquanto andamos quase nas pontas dos pés pelos corredores. Passamos pela sala de música vazia. Pelo escritório vazio do diretor. Pelo auditório vazio.

Andamos mais um pouco e chegamos ao longo corredor nos fundos da escola. Eu o examino. Está uma bagunça, com mochilas no chão e armários abertos — porém, sem zumbis.

Tudo está vazio.

E então eu ouço.

Sabe quando você está jogando boliche e joga uma bola na canaleta? É esse som, vindo da escuridão, mas combinado com o uivo horripilante de zumbis famintos.

— Quint — eu peço. — Me passa sua lanterna.

— O quê? Mas é minha! Consiga uma pra você, amigo! — ele responde, ofendido.

Eu resmungo e arranco a coisa da mão dele. Aponto a luz para o corredor atrás de nós, examinando para ver que coisa horrível poderia estar nos perseguindo.

E quando eu vejo, é algo... é só...

MEDO.

Um medo diferente de tudo que eu já vi. Não apenas o medo da morte, mas o medo da causa da morte. Medo deste mal hediondo e repugnante que caiu sobre nós.

Estou com medo demais até para falar. Eu meio que empurro o Quint e empurro o Dirk, fazendo-os seguirem em frente, até estarmos todos correndo, a toda velocidade, pelo corredor.

— CONTINUEM CORRENDO.

— O QUE ESTÁ ACONTECENDO, JACK? — Dirk quer saber.

— É uma...

BOLA DE ZUMBIS!

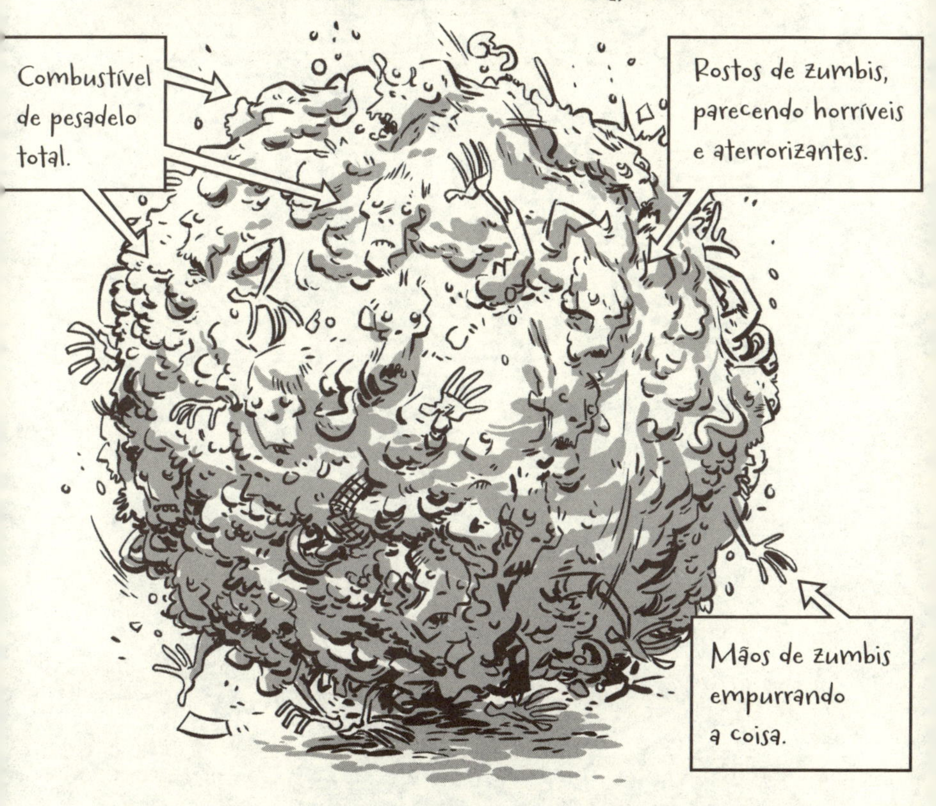

É uma bola. Uma bola gigante. Uma bola gigante de membros emaranhados. Uma bola gigante de membros emaranhados de zumbis: todos juntos, pernas, braços e corpos entrelaçados. Rostos, mãos, pés, pernas... tudo amarrado e retorcido.

Suas mãos se esticam, agarram e puxam para que a bola desça pelo corredor em nossa direção. Essa massa rolante de corpos mortos-vivos preenche o corredor completamente, não oferecendo nenhuma esperança de nos escondermos ou de nos esquivarmos.

Isto é igual ao Indiana Jones.
Sim! Mas com zumbis!
Não é hora disso, seus nerds!!

Rasgamos o corredor, viramos no final dele e subimos as escadas até o andar do 7º ano, pulando os degraus de dois em dois. Mas a BOLA DE ZUMBIS NOS SEGUE! Ela vai subindo as escadas com as mãos cadavéricas agarrando cada degrau e puxando aquela monstruosidade morta-viva para cima e para perto de nós.

Viramos à direita, entramos no corredor e... SANTA BOLA MALDITA DE ZUMBIS!

Portas duplas bem à nossa frente. Dirk chega nelas, puxa, tenta abrir e nada. Estão trancadas pelo outro lado.

Eu me viro.

A bola de zumbi está sobre nós.

É isso. É assim que vai acabar.

Seremos esmagados e depois comidos por uma bola gigante de zumbis emaranhados e retorcidos!

Estamos condenados. Vamos morrer nas muitas e muitas mãos da bola de zumbis.

Caras-de-vamos-morrer!

CLIK-CLAK!

De repente, as portas se abrem. Nós cambaleamos para trás, atravessamos as portas e caímos no chão.

Uma voz firme nos ordena a ficarmos:

— PARA TRÁS!

Eu rastejo pelo corredor, para longe da bola da morte que se aproxima rapidamente, e então *BANG*, as portas se fecham e ouvimos o *CLINK* da fechadura travando bem quando...

BOLA DE ZUMBIS DETONADA!

— Mas... o que aconteceu aqui? — Quint pergunta.

— Quem abriu a porta? — Dirk emenda.

Acho que sei a resposta...

Me levanto e uso a lanterna. E lá está ela. Uma figura saindo da escuridão.

A garota que eu vim resgatar.

A donzela em perigo.

June Del Toro.

capítulo doze

June parece um tipo de princesa amazona guerreira feroz e assassina! Ela tem um cabo de vassoura que foi esculpido como uma lança, e seus cabelos balançam ao vento, mesmo não tendo vento aqui; ou seja, são só seus cabelos parecendo, tipo, incríveis.

Eu tive outras ideias de como seria esse resgate.

A maioria delas acontecia mais ou menos assim:

Mas nenhuma se parecia com isso... que está acontecendo exatamente agora...

— Mas estamos aqui para resgatar você! — reclamo.

— Eu não preciso ser resgatada — June responde friamente.

— Claro que precisa! — eu exclamo. — Você está presa aqui! Eu sabia disso porque vi seu moletom na janela. O vermelho com as listras amarelas!

June olha para mim como se eu fosse um esquisitão.

— Você sabe quais são as minhas roupas?

Acho que pareço mesmo um esquisitão.

— Hum, eu só presto atenção nessas coisas, eu acho... — murmuro. — Eu sou, hã, observador.

June franze a testa.

— Isso é um pouco fofo e um pouco estranho. Mas eu não preciso de ajuda

— Jack, meus pais estão vindo me resgatar. Tudo o que eu preciso fazer é esperar aqui. O que eu não preciso é de três garotos idiotas correndo por aí e trazendo bolas de zumbis para o andar de cima. Entendeu?

— Como você sabe que seus pais estão vindo?

— Eu só sei, ok? — ela responde com uma voz áspera.

— Olha, June, eu acho que você não está entendendo. Você provavelmente está em estado de choque. Veja, eu sou um cara super mega incrível. Sou como um James Bond pós-apocalíptico. Quer dizer, eu tenho até uma licença para matar monstros.

June olha para mim como se ela fosse me dar de comer para os zumbis.

— Não, é sério. Eu tenho. Viu? — insisto, entregando a June um pedaço de papel.

Ela pega o papel e examina com os olhos desconfiados, depois levanta a cabeça para mim e diz:

— Jack, esse é o pedaço de um cardápio, no qual você escreveu "Jack Sullivan, Licença para Matar Monstros".

Eu cruzo os braços, me inclino contra um armário e sorrio como um herói.

— Isso. Irado, não? Você deveria se sentir honrada por eu estar aqui para resgatá-la.

June não parece nem um pouco impressionada.

— Você escreveu "licença" errado.

Dou de ombros.

— Escrever certo não importa quando se trata de matar monstros.

— Sim, mas *matar* importa bastante. E você

escreveu *matar* errado também. Você colocou dois "R" no final.

— Foi de propósito. O "R" extra é para uma matança extra de monstros.

— JACK, EU NÃO PRECISO SER RESGATADA!

Opa, opa. Dirk, Quint e eu trocamos olhares preocupados. Garotas bravas são muito mais assustadoras do que qualquer monstro.

Depois de um momento, June se acalma.

— Olha só, Jack, caras, obrigado por virem aqui. Fico feliz em saber que tem outras pessoas vivas. Mas eu não preciso ser resgatada e, de verdade, gostaria que vocês fossem embora. Por favor.

Resolvo dar um passo para trás. Não estou conseguindo entender... eu vim até aqui, procurei pela June em todos os lugares. E agora, quando finalmente a encontro, ela não está interessada em ser resgatada?

Não. Isso não está certo.

Preciso de uma nova tática. Preciso ganhar algum tempo para convencê-la da minha grandiosidade...

— Podemos pelo menos ficar aqui até amanhecer? — eu pergunto. — Porque, tipo, a gente ralou pacas para chegar até aqui.

June olha para mim. Depois de um momento, ela sacode a lança de cabo de vassoura com frustração e diz:

— TÁ BOM!

— Ótimo! — respondo. — Então...

E então, a gente parte para...

FAZENDO-COISAS-PERIGOSAS-NA-ESCOLA!

Quando terminamos, caio no chão, enxugo o suor dos olhos e retiro minha lista de Feitos de Sucesso Apocalíptico. Acabei de completar alguns grandes, então começo a marcar um X em cada um.

De repente, June está em pé perto mim.

— Me dá isso — ela diz, arrancando o papel das minhas mãos. Então lê em voz alta.

— Dar um soco no nariz de um zumbi: 10 pontos. Amarrar um balão em uma Besta: 50 pontos. Atirar na bunda de uma Besta com uma arma de paintball: 50 pontos. Se balançar em uma trepadeira como o Indiana Jones: 80 pontos. Fugir do diretor zumbi: 100 pontos.

Ela abaixa o papel.

— Você fez tudo isso?

— Fiz! — respondo sorrindo. — A da trepadeira foi bem difícil. O Harrison Ford fez parecer tão fácil, mas, na verdade, você precisa segurar bem firme e garantir que não é uma videira fraca, que a água onde vai mergulhar seja profunda o suficiente e, tipo, verificar se não há abelhas por perto, então não tem como...

— Espera aí, Jack... você, hã, por acaso você está se divertindo durante o fim do mundo?

— Bom, eu... olha só, sim, é terrível — respondo bem sério agora. — Mas não vou simplesmente desistir. Sim, alguns dias são muito assustadores, e às vezes as coisas são absurdamente tristes, mas estou realmente me esforçando muito, muito mesmo, para continuar vivendo e aproveitando cada momento. E com os meus amigos.

June olha de novo para o papel.

— Donzela em Perigo — ela lê em voz alta. — O que é esta aqui?

Ops. Fui *peeeggooooo.*

— Hã, bom... esse era o maior deles. Era resgatar você.

June dá um meio sorriso, encosta no armário e desliza para baixo até cair de bunda no chão.

Ela fica olhando para o corredor, vendo Quint perseguir Dirk com um esfregão e um balde. Dirk está rindo... e é aquele guincho pateta e estridente que ele tem.

— Peguei! Tá com você!

June olha para mim.

— Vocês são um pouco loucos, sabia?

— Ser um pouco louco é um pouco bom... eu acho, respondo sorrindo.

June se mexe desconfortavelmente, como se estivesse pensando em algo realmente difícil de pensar. Eu acho que é isso. Ela vai ver a luz. Ela vai perceber, como eu percebi, que a vida durante o Apocalipse dos Monstros é muito melhor com amigos.

Então ela olha para mim. Nossos olhares se conectam. Igual se conectaram meses atrás, no estacionamento, quando o mundo começou a desmoronar. E então, ela diz:

— Está tarde. É melhor você dormir um pouco. Vocês vão embora assim que o dia nascer.

Droga!

Eu vou buscar o Dirk e o Quint que, sem brincadeira, estão no meio de uma luta de cócegas. A June construiu uma base em nossa antiga sala de aula, tirando a maioria das mesas e cadeiras e arrastando para cá o sofá da sala dos professores.

Quint, Dirk e eu saímos para o corredor para vasculhar os armários e recolher jaquetas e mochilas para fazermos pequenas camas improvisadas.

Quando estamos longe o suficiente, Dirk sussurra:

— Então, como vai ser? A garota não vai com a gente amanhã?

— Eu ainda estou trabalhando nisso — respondo.

— Vamos embora amanhã de manhã, Jack, não importa o que aconteça — Quint afirma. — Não podemos deixar o Rover sozinho.

— Eu sei, eu sei — respondo. — Estou trabalhando nisso, ok? Estou trabalhando nisso. Jack está no caso. Vou cuidar de tudo.

Então todos nós nos deitamos em nossas camas. Eu me mexo, me viro, com a cabeça cheia de pensamentos. Estou totalmente acordado. Zero sono. Além disso, não ajuda em nada o Dirk roncando como um urso pardo resfriado.

Como faço para convencer a June?

Então ouço alguma coisa. Não o ronco. Outra coisa.

Passos.

Ah não.

Será que fiz alguma besteira, tipo deixar uma porta destrancada? Será que tem um zumbi se arrastando por aqui neste instante? Se preparando para rasgar nossa garganta e comer nossa deliciosa carne de pescoço?

capítulo treze

Eu me sento.

Aperto os olhos no escuro e percebo uma figura se esgueirando pela sala. Ouço a porta se abrir, e então vejo a figura sair para o corredor.

Mesmo na penumbra, consigo ver que é a June. É muito bom usar as palavras "ver" e "June" na mesma frase. Ponto pro Jack.

Mas, enfim, o que será que ela está fazendo?

Consigo me livrar da coberta feita de jaquetas e ando na ponta dos pés até o corredor. June está abrindo uma porta que dá para as escadas. E eu conheço bem aquelas escadas. Elas levam para a cobertura da escola.

Eu a sigo.

A cobertura está bem iluminada pela lua. June está parada perto da borda. Ao seu lado há um grande cesto de plástico.

Ela se vira, surpresa.

— Desculpe. Não queria assustar você.

— Não me assustei — ela responde. Dá pra ver que é mentira.

— O que você está fazendo aqui? São quatro da manhã.

June põe a mão dentro do barril e pega uma bola de tênis. Eu espio lá dentro. Está cheio de bolas de tênis. Há outros cestos de lixo vazios espalhados pelo telhado.

— É assim que tento relaxar das minhas frustrações — June responde, arremessando uma bola de tênis em direção à multidão de zumbis abaixo. A bolinha acerta um zumbi, nosso professor de ginástica, o sr. Perkis, bem nas costas.

— É um jogo — June continua. — Dez pontos se eu acertar o zumbi na cabeça, cinco pontos se for no corpo, vinte se eu falar antes o que pretendo acertar. Tipo, se eu disser "Jess Aronesty, na cabeça", e eu realmente acertar a Jess Aronesty na cabeça, ganho vinte pontos.

— É igual aos meus Feitos de Sucesso Apocalíptico! Você está me copiando? Não seja uma imitona, June — eu falo sorrindo.

June dá risada. Isso faz meu coração inchar de alegria. Ah, que ótimo, agora tenho um coração inchado. Espero que ele pare de inchar antes de me matar.

Estico a mão para dentro do barril.

— Muito bem. Será o sr. Winik, bem na cara — eu afirmo.

Estico o braço para trás e arremesso a bola de tênis. Eu erro o sr. Winik por uns catorze metros e meio.

— Ridículo — June diz já pegando uma bola do barril. — Ridículo e zero pontos.

— Eu vi você correndo para dentro quando tudo começou. E você me viu também.

June faz que sim com a cabeça.

— Nossos olhares... — começo a falar de forma bem suave. — Nossos olhares se cruzaram e se fixaram naquele momento.

June revira os olhos do jeito mais fofo possível.

— Você é estranho, Jack. Enffiiimmmmm, bom, eu corri primeiro para o escritório do jornal. Ah, e isso me lembrou que íamos colocar uma das suas fotos bem naquela edição. A que você tirou do ensaio da banda.

— Ugh — eu gemo. — Aquela foto era mais fraca do que zumbi de uma perna só.

June ri baixinho.

— Você só queria tirar fotos de coisas de aventura, certo?

Eu dou de ombros.

— Sou um cara aventureiro.

— Bom, agora você tem a chance de fazer isso — diz ela com um suspiro.

Eu concordo com a cabeça e suspiro com ela.

— De qualquer forma, sim, eu entrei. Pensei que esperaria um pouco e então a polícia apareceria e meus pais viriam me buscar. Nunca aconteceu. Os zumbis vieram, arranhando a porta. Eu me escondi no armário e não saí por dois dias inteiros. E quando eu saí, havia... apenas... um monstro... grande como uma casa! Comendo pessoas! E as outras pessoas... bem, você sabe.

— Sei. Mortos-vivos.

— Então tranquei as portas e fiz o que pude para manter essas coisas presas lá embaixo, na parte de trás da escola. E fiquei sozinha por aqui.

— Mas e os seus pais?

June engole saliva e faz uma careta, como se doesse engolir. Talvez eu não devesse ter perguntado.

— Eu os vi no quinto dia — ela começa a falar. — Um grande ônibus passou, escoltado por um tanque. Havia um soldado com um microfone, dizendo que qualquer um que não fosse um zumbi deveria ir com eles. Meus pais estavam no ônibus. E estavam olhando para a escola. Eu bati meus punhos na janela e gritei e gritei até minha garganta ficar dolorida. Mas funcionou. Eles me viram.

— Espera aí, sério? Eles viram você?

June faz que sim com a cabeça.

— Meu pai tentou fugir, mas o soldado não o deixou sair do ônibus. E eu não podia sair sem que os zumbis me pegassem. Então o ônibus virou a esquina e eles foram embora. Apenas... se foram.

Cutuco a pelezinha no meu dedo. Estou desconfortável e não sei o que dizer.

— Pelo menos eles estão seguros, em algum lugar...

June dá de ombros. Então, depois de um momento, ela diz:

— Jack, me desculpe por surtar com vocês antes, mas agora você entende por que eu não posso sair da escola. Meus pais sabem que estou aqui. Eles vão vir me buscar. E eu não quero que vocês estraguem tudo.

— Mas, June, quando seus pais voltarem, todos virão com eles. Não importa onde você esteja, eles vão encontrar você. Mesmo que esteja, talvez, na minha casa na árvore...

June olha para mim.

— O que foi? Só estou dizendo que realmente acho que você deveria voltar para a casa na árvore com a gente. É divertido, tem um sininho de vento e às vezes temos biscoitos.

June suspira. E então lança uma bola de tênis, que bate nas costas de um professor de química do 8º ano e faz *TONK*!

— É nojenta, não? — June diz. — Fala a verdade. A casa na árvore é meio nojenta e cheira a meninos. O cheiro dos meninos é pior que o cheiro dos zumbis. Ou quase.

Eu enfio a mão no barril.

— Está vendo o zelador, o sr. Urk? Vou tirar o chapéu da cabeça dele.

— Duvido!

Eu estreito os olhos.

— Fica olhando. Eu sou superpreciso.

Arremesso a bola e... erro feio. Ela acerta nossa diretora assistente na cara, ricocheteia acertando um desconhecido no peito e então rola pelo chão, onde outro zumbi pisa nela, cai em cima de outro zumbi, e mais ou menos uma dúzia de mortos-vivos vão caindo como um dominó de patetas.

Eu olho para June e, de repente, nós dois...

— Ah claro, realmente muito preciso, Jack — June fala, tentando parar de rir.

— Ei! — exclamo. — Detonei uns doze zumbis com apenas um arremesso. Se estivéssemos jogando boliche seria um *strike*. É claro que se estivéssemos jogando boliche, estaríamos em um lugar que também teria outros jogos, e isso seria fantástico.

Minha barriga dói de tanto rir. Então a June, ainda ofegando, diz:

— Acho que é a primeira vez que eu gargalho em meses.

Eu sorrio para ela.

— Estou dizendo, June, a vida é melhor quando você consegue rir de vez em quando. Mesmo que haja um certo cheiro de menino envolvido. E deixe-me apenas dizer, bem rapidinho... eu realmente cheiro BEM melhor que a maioria dos meninos. Número um, nota 10.

— Deixa eu adivinhar. Você usa perfume no corpo todo?

— Melhor que isso. Aromatizador de ambiente de pinheiro de Natal. Esfrego no meu peito todos os dias de manhã. É agradável e ainda deixa a gente em clima de festas.

June sacode a cabeça e fica quieta de novo. Ela se move levemente para os lados, desconfortável, como se estivesse novamente pensando em algo difícil. Ela fica olhando para os pés e então, finalmente, pergunta:

— Certo, me conte como é essa casa na árvore de vocês.

Meus olhos se arregalam e eu pulo para a frente. Meu coração está quase saindo pela boca.

— Jack — ela começa —, já pode parar de falar agora. Eu gostei disto aqui que fizemos agora. Gosto de gargalhar. Gosto de jogos bobos. Amanhã de manhã eu vou com vocês.

AAAAAHHHHHH!!!!!!!! Não acredito, não acredito, não acredito.

— Certo, está bem — respondo, me esforçando muito para parecer que não ligo. — Bacana você querer ir. Quer dizer, tanto faz. Tranquilo, o que quer que você decida.

June sacode a cabeça com desânimo.

— Você é muito besta.

— Só se for no dia de São Nunca!

— Mas saiba de uma coisa, Jack.

— O quê?

NÃO.
Sou.
Uma.
Donzela em Perigo.
Percebi.

capítulo catorze

Quando June e eu voltamos para dentro, Quint e Dirk estão esperando por nós. Quint está encostado na janela do outro lado com os braços cruzados. Ele parece um professor mal-humorado que quer saber por que você demorou trinta minutos para ir ao banheiro.

— Hã, olá, amigos — eu falo. — Já estão acordados?

— Você sabe que eu não consigo dormir sem meus tampões de ouvido, Jack. Eu ouvi você se esgueirando.

Eu reviro os olhos.

— Ah sim, claro. Seus coletores de cera de ouvido.

— Eles não são coletores de cera de ouvido, Jack! Eles são tampões de ouvido e você sabe que eu tenho audição sensível, então eu... ugh, não importa. Agora que estou acordado, vejo que temos um problema.

— Não temos não! — eu exclamo. — Sem problemas! Nós temos boas notícias! A June vai com a gente. Certo, June?

June confirma balançando a cabeça. Ela ainda está tentando mostrar atitude, como se não precisasse da ajuda de ninguém.

— Ótimo — Quint diz abrindo as persianas de metal — mas isso não resolve este problema.

Eu ando e olho através das persianas.

A Big Mama está estacionada onde a deixamos. E está cercada de zumbis. Uns cem, pelo menos. Certo, isso é ruim, mas não é o fim do mundo (com o perdão do trocadilho). Não é como se...

Aaahhhh.

Um pouco mais para a frente, do outro lado da rua, vejo algo colossalmente pior do que zumbis...

O Blarg.

O monstro está sentado em cima da casa de algum azarado. O telhado está desmoronado no meio, as paredes de madeira estão dobradas nas laterais, as janelas estão quebradas e a porta da frente está aberta. Blarg está empoleirado ali, esperando e observando a escola. Que atrevimento desse Blarg...

Eu fecho a persiana.

— Então, June, temos um pequeno problema aqui. Nada que nos faça perder a cabeça e tal, mas não são apenas os zumbis lá fora. Tem também um... hã, Blarg.

June cruza os braços.

— Sei que provavelmente vou me arrepender de perguntar, mas... o que é um Blarg?

— Blarg é um... hã... bom, um monstro enorme comedor de gente. Como um pequeno problema de atitude.

— Ah, tá — June responde. — Bom, Jack, provavelmente também vou me arrepender de perguntar isso, mas, você tem alguma ideia de por que esse Blarg está aqui?

A irritação na voz da June é tão grande quanto o Blarg.

Eu tusso de leve levando a mão à boca.

— Bom, alguns meses atrás, eu tive uma, hã, você sabe, uma pequena desavença com ele. E eu, hã...

— Você o quê? — June rosna.

June parece que está prestes a me dar um soco no nariz.

— Bom, você não estava brincando — ela fala, espiando através das persianas. — Ele é grande.

— E ele está ali tranquilo! — eu exclamo. — Apenas vigiando a escola e vigiando a Big Mama. Esperando a gente fazer algum movimento. Querem saber? Já estou cansado desse cara...

Eu puxo as persianas e abro a janela.

— Ei, Blarg! ME DEIXE EM PAZ! VAI EMBORA DAQUI, SEU MONSTRO IDIOTA!

— Jack, seu tolo! — Quint exclama, e corre para a janela.

Os buracos que são os ouvidos de Blarg se abrem e sua cabeça enorme se move de um lado para o outro. Ele desce da casa. As janelas tremem quando ele atinge o chão, a não mais do que uns sessenta metros de nós. Sua cabeça se move novamente. Ele está farejando. Caçando a fonte da minha voz.

— Olhe para essa coisa! — Dirk fala. — Ele é tão burro que nem consegue nos ver aqui em cima!

Eu balanço a cabeça negativamente.

— Ele não é burro. Ele é o oposto disso. De todos esses monstros por aí, ele é o mais esperto. E tem um problema comigo. Quer se vingar.

— É por isso que você não deve enfiar coisas na testa de monstros, Jack — June afirma.

— Certo, aprendi minha lição, está bem? No futuro,

vou tentar minimizar os danos de enfiar algo na testa de um monstro.

Blarg vem na nossa direção, quando meio que tropeça em um carro. O monstro cambaleia, antes de conseguir se equilibrar de novo.

Quint deixa escapar um:

— Hmmm...

— O que quer dizer esse seu murmúrio? — June pergunta.

Quint corre até uma mesa e pega seu fichário de pesquisa do tamanho de um dicionário.

O resto de nós se aglomera, vendo Quint folhear as páginas. A cada instante, ele faz uma pausa, pensa por um momento e continua virando as páginas. Por fim, ele para em uma das minhas fotografias e diz:

— Jack, mandou bem!

— Como? O quê? Eu fiz algo de bom? Quero dizer, óbvio que fiz... mas, hã, de qual coisa boa você está falando?

Quint gira o livro para nós.

Quint está fora de si.

— Suas fotos, Jack. Eu falei que eram bem úteis! Veja esta aqui, a que você tirou quando lutou pela primeira vez com o Blarg! Estão vendo como os olhos do Blarg são bem brancos e meio transparentes?

— Sim, sim, e daí?

— Isso significa que a visão dele com pouca luz é bem ruim! Foi por isso que ele tropeçou naquele carro agora pouco. Ele foi feito para caçar durante o dia!

— Espera aí... então ele está, tipo, esperando o sol sair para vir aqui? — eu pergunto. — Sabendo que é quando vamos sair e então ele poderá acabar comigo, de uma vez por todas?

Quint engole em seco e concorda com a cabeça.

— Acho que sim.

— Então temos que ir AGORA! — eu exclamo. — Antes de amanhecer. E o sol já está quase nascendo!

Quint suspira e passa a mão pelos cabelos.

— E como faremos isso? Tem centenas de zumbis lá fora. Precisamos de armaduras para chegar à Big Mama. E precisamos de armas! Onde vamos encontrar essas coisas em uma escola?

Quint está certo.

Eu me inclino contra a mesa do sr. Vogel. Com a cabeça abaixada. Estamos presos como ratos. Presos como ratos em uma armadilha gigante feita para prender ratos.

E a pior parte é que a culpa é 100% minha. Eu nunca deveria ter vindo salvar a June. Ela não precisava ser salva. Ela não precisava de mim. E agora todos estão presos aqui.

De repente...

Pego a bola de tênis antes que acerte na minha cara. Giro-a um pouco na mão e então... *BAM*! Já sei!

Dirk sorri.

— Ah sim. Eu gosto disso.

Dirk, June e Quint se separam, vagando pelo enorme depósito de materiais de educação física, procurando qualquer coisa que possa ser útil.

Mas eu já tenho tudo o que preciso. Quer dizer, tenho quase tudo, exceto... Pinturas de Guerra. Para parecer um cara mau! Como um defensor durão de futebol americano!

Pego uma lata. *Agora* eu tenho tudo que preciso. Eu me sento. Estou tentando limpar a mente e controlar o medo, quando Quint caminha até mim, parecendo frustrado.

— Eu não vejo nada que sirva pra mim.

— Procure algo para se proteger, cara — respondo.

Quint franze a testa.

— Não quero apenas me proteger, amigo. Eu quero ajudar na luta! Eu quero muito... bem, acertar alguns zumbis!

— Cara, mas normalmente você só quer ficar nos bastidores enquanto Dirk e eu saímos para o ataque! O que mudou agora?

Quint meio que fica vermelho. Então ele acena com a cabeça, apontado para o outro lado da sala. Com o olhar, sigo a direção indicada e... vejo a June, remexendo em uma caixa.

— O quê? June? — pergunto. — Você quer parecer corajoso na frente da June? Pô, a June é minha! Eu vi primeiro!

— Não tem isso de ver primeiro quando se trata de garotas, Jack!

— E eu acho que você não sabe como as garotas funcionam! Ela não gosta de você! Se ela gosta de alguém, esse alguém sou eu!

— Jack, relaxa — Quint fala levantando as mãos como se estivesse se rendendo. — Sei que você gosta da June. Eu não pretendo roubar sua garota. É só que... bom, ela é uma garota. Não quero parecer tonto na frente dela.

Aaahh. Concordo com a cabeça. Agora entendi.

Os olhos de Quint se iluminam.

— Já sei! Retornarei em breve!

Ele atravessa rapidamente o ginásio e sai pela porta. Eu só posso tentar imaginar o absurdo fantástico que ele está inventando.

Mais ou menos 20 minutos depois, June e Dirk estão terminando de se armar quando...

Que diabos? O Quint não está usando nada de diferente! Apenas o mesmo jaleco de laboratório.

— Quint! Você deveria ter se armado!

— Ah, mas eu estou armado — ele responde. — Armado... COM A CIÊNCIA!

Então está bem... Quint ganhou o prêmio pela frase mais nerd já dita. Ele abre o jaleco e revela...

Cinto de Utilidades Químicas do Quint!

Dirk faz uma careta e pergunta:

— E como você vai socar algo com essas coisas?

Dou de ombros e respondo:

— Certo, Quint, você tem razão. Isso é bem irado.

— E tenho algo para você também, amigo — Quint diz, colocando a mão no bolso de trás. Meus olhos se arregalam quando ele me mostra: meu estilingue.

— Peguei na mesa do sr. Mando — ele me diz. — Lembra que ele confiscou de você?

Concordo com a cabeça enquanto pego o estilingue e sinto o peso dele em minha mão. É realmente um super estilingue.

De repente, Dirk está atrás de nós, envolvendo Quint e eu com seus braços e olhando para June.

— E então, senhorita? — Dirk pergunta. — Como estamos?

June aperta os olhos para nós.

— Hmm...

Ela pega minha mão, me puxando do aperto de Dirk, e todos nós atravessamos a academia. Não vou mentir: a mão de June na minha é basicamente a melhor coisa do mundo desde a pizza em fatias.

Há um grande espelho em uma das paredes, o que nós usamos para o mês da dança.

Fico olhando para o reflexo. Bom, é claro que parecemos um bando de perdedores sem sorte que nem deveriam estar lutando contra monstros, infestações de zumbis ou realmente tentando *qualquer coisa.*

Mas ei, nós somos...

UMA EQUIPE

Capacete de futebol americano das antigas, pois Dirk é um cara das antigas.
Capacete de rebatedo
pro caso de tropeçar e bater a cabeça.
Luvas de hóquei pra socar os zumbis.
Cinto de utilidades científico.

— E agora? — Dirk pergunta.

— Agora vamos até a Big Mama — respondo. — E voltamos para a casa na árvore. E então...

— Tem mais além disso? — June pergunta.

— Bom, não sei. Eu ia falar que poderíamos jogar Banco Imobiliário? Ou War? Eu meio que estou no clima de jogos de tabuleiro. Vocês também? Algum de vocês pelo menos? Não? Tá bom, apenas lutar com zumbis e fugir do monstro. Por enquanto. Jogos de tabuleiro mais tarde. Talvez. Se ainda estivermos vivos. Certo, vamos nessa.

capítulo quinze

No final do longo corredor lateral da escola, há uma porta de metal. Prendo a respiração e aperto a barra de segurança. Está bem escuro lá fora. Meus olhos se ajustam e, ao luar, vejo zumbis. Zumbis por todos os lados. E o Blarg, do outro lado da rua, olhando perdidamente ao longe.

— Ok, equipe — eu sussurro. — Fiquem quietos. E NADA DE LUZES!

— E que luz!? — Dirk pergunta.

— Sei lá, se você estiver carregando um sabre de luz, não o acenda de repente. Apenas nada de luzes. ESTÁ BEM?

Todos concordam.

— Eu realmente gostaria que tivéssemos um aperto de mão secreto ou algo assim — afirmo.

— Jack, desista do cumprimento secreto — Quint fala. — Não vamos ter apertos de mão secretos.

— Vamos ter sim — respondo. — Quando chegarmos em casa vivos. Agora... vamos?

Todos nos olhamos, pensando no que estamos prestes a fazer. Nervosos. Aterrorizados até os ossos — mas estamos juntos nisso.

Todos nós concordamos com a cabeça, então eu saio pela porta.

Nós nos movemos muito furtivamente.

Muito furtivamente por cerca de dois metros. Dois metros em modo de superfurtividade até os zumbis sentirem o cheiro do nosso fedor humano.

Os monstros mortos-vivos gemem e rugem e abrem os braços, esperando para nos cumprimentar com seus dedos em decomposição, afundar seus dentes em nossa pele e simplesmente arrancar nossa carne direto dos ossos!

De repente, à minha volta, tudo vira uma grande batalha insana de ação contra zumbis! Temos punhos voando e ossos se quebrando!

Dirk está soltando só porradonas! *POW!* Olha aí um gancho pesado no queixo do zumbi.

A June usa muito bem sua lança de vassoura. *KRAK!* Ela acerta o crânio de um zumbi, então gira, ataca por baixo e derruba quatro mortos-vivos acertando eles nas pernas.

SMASH! Esse é o Quint quebrando um dos seus tubos de vidro na cabeça de um zumbi. Ele está cegando os zumbis com a ciência!

Continuamos em frente batalhando, lutando e forçando nossa passagem até a Big Mama. Estamos chegando perto, só mais uma investida agora!

Dirk abre com tudo a porta da Big Mama e, então, a pior coisa que poderia acontecer... bom, acaba acontecendo.

Os faróis da Big Mama piscam. O farol alto. A luz corta a grama e também a escuridão. Sigo o caminho da luz com os olhos. Os faróis brilham diretamente na direção do Blarg. Os olhos dele faíscam, ele abre a boca cheia de presas e solta um horrível:

— *BLARGGGG!!!!!*

— Jack! — Quint grita. — Você deixou o farol alto ligado???? — Ele corre e os desliga rapidamente.

— Ops! Olha só, eu falei que era um bom motorista, mas nunca disse que era um bom controlador das coisas no painel.

— BLARGGGGG!!!!!!

O Blarg dá uns doze passos pesados como terremotos e, em apenas alguns instantes, ele está sobre a Big Mama. O passo seguinte sacode o chão e nos joga para trás cambaleando, e caímos sentados.

Estou esparramado no chão olhando para o demônio. E é aí que eu vejo. Bem na frente dos meus olhos: meus tênis. E tenho uma ideia! Um plano B!

Heróis de ação têm que ter plano B!

Estendo a mão e... *RIP*! Arranco a fita que cobre meus Light-Upz. As luzes vermelhas brilham na escuridão quando me levanto.

— Jack, o que você está fazendo? — June grita.

— Dançando!

— O QUÊ?!

Fato curioso: sou um fantasticamente péssimo dançarino. Tenho vários movimentos próprios fundidos em uma bela dança. Um pouco de dança do robô, alguns saltos, um pouco de sacudir e convulsionar e um pouco de dança country.

— Até mais, pessoal! — eu digo e saio correndo.

— Onde você está indo? — June grita.

— Estou apenas correndo! Vão para a casa na árvore!

— Espere, Jack, pegue isso! — Quint fala atrás de mim.

Eu me viro, meio cambaleando, bem a tempo de ver Quint jogando uma de suas pequenas cápsulas científicas nerds para mim. Um arremesso terrível, como sempre. Eu consigo pegar do chão e continuo correndo.

— O que é isso? — pergunto.

— Cápsula de Ácido no Olho! — Quint responde com um grito.

— Que nome irado! Agora saiam daqui! — eu grito, girando e correndo pela grama em direção à rua.

As luzes vermelhas piscam e brilham a cada passo. Blarg ruge e vem atrás de mim.

Esta é a coisa mais idiota que eu já fiz. De longe. E fiz muitas coisas idiotas. Quero dizer, eu sou o cara que uma vez lambeu desodorante porque pensou que era mais elegante do que escovar os dentes.

Jack, você é estúpido!
Jack, você é estúpido!
Jack, você é estúpido!

Bem atrás de mim, ouço o motor da Big Mama ligar com um rugido e partir roncando pela noite. Bem, imagino que isso é uma notícia boa, pelo menos. Mesmo que o Blarg me devore, eu dei uma chance aos meus amigos.

Continuo correndo, continuo acelerando, continuo me dizendo como tudo isso é estúpido... enquanto desço a rua Primavera, cruzando a rua Principal e subindo pela calçada. E ali, bem à minha frente, está um grande caminhão tombado. Eu deslizo e paro. À minha esquerda está a loja de animais. Há vários carros ao longo da calçada. Eu corri diretamente para um beco sem saída.

O Blarg chega perto. Imenso. Gigantesco. Elevando-se diante de mim está uma criatura de outra época, de outro lugar... uma figura horrível saída de um pesadelo.

Certo, Dona Figura Horrível saída de um Pesadelo, o velho Jack Sullivan não será vencido sem lutar... e não será vencido sem usar seu super estilingue.

O Blarg dá um passo pesado em minha direção, sacudindo a calçada e quase me derrubando. Seu hálito quente acerta meu rosto quando ele abre a boca grossa e cheia de dentes e solta um

ROAWWWWWRRR!!!

Mais rápido que um raio, minhas mãos pegam a cápsula de ácido no meu bolso, a arrancam de lá, enfiam no estilingue, puxam o elástico para trás e seguram. Prendo a respiração como o Robin Hood alinhando uma flecha e... FLING!

Um uivo demoníaco irrompe dos pulmões do Blarg. Ele dá uns tapinhas na cara, tentando limpar a mistura química escaldante. YUU-HUU! Eu detonei a fera! E viva a Cápsula de Ácido no Olho!

— E aí, o que diz agora, Blarg? — grito.

O Blarg abaixa a mão e, então, revela que...

Bom, eu quase vomito nos meus pés de nervoso. A cápsula de ácido de Quint fez algo com o monstro. Ele mudou. Agora, ele é o...

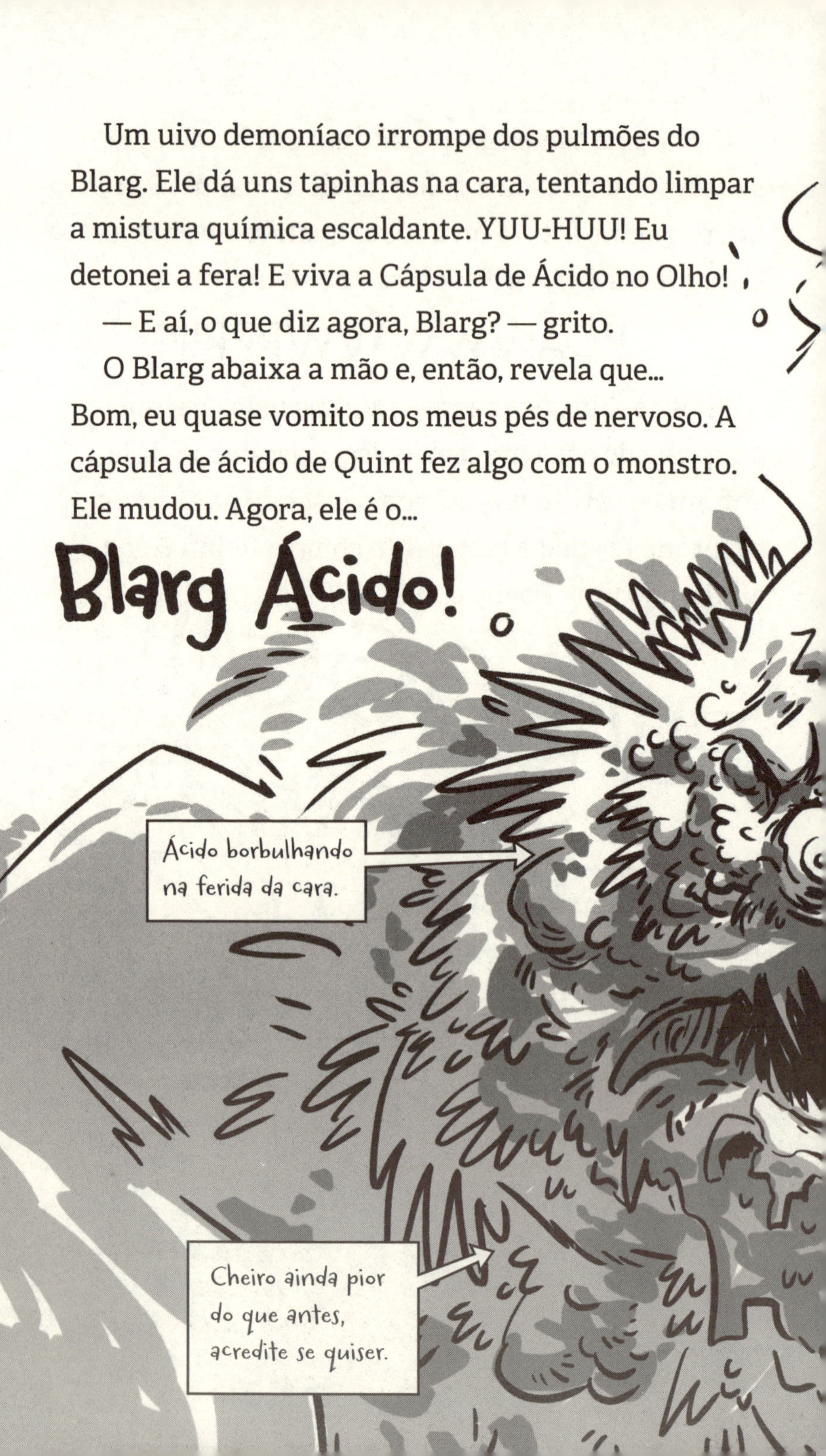

Então é isso. O monstro chegou a sua FORMA FINAL!

THUD!

Um barulho atrás de mim. E então um rosnado furioso e feroz. Será OUTRO monstro? Vamos lá, mundo! Será que não pode me dar um tempo? Apenas, tipo, uns dois segundos sem um novo ataque de monstro seria MARAVILHOSO!

Eu me viro para olhar e...

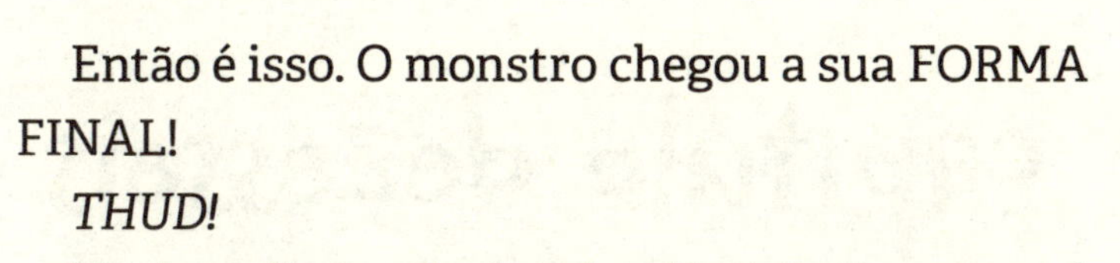

capítulo dezesseis

Rover!!!

Ele tromba comigo vindo de trás e me joga para cima. Eu pego as rédeas no ar e puxo, ficando pendurado ao lado dele e batendo em seus pelos macios.

— Rover, amigão! — eu grito. — Você chegou na hora perfeita!

Eu me abaixo quando o Rover dispara por entre as pernas do Blarg Ácido. E então...

Seguro as rédeas tão forte quanto se fossem um controle de Xbox enquanto Rover dispara pela rua, com suas patas enormes martelando o chão. Ele vira com tudo na esquina, o que quase faz com que eu seja lançado da sela.

KA-CRASH!

Rover abaixa a cabeça e bate em uma lata de lixo, jogando-a por cima da minha cabeça. Um papel velho de embrulhar hambúrguer bate na minha cara. Que nojo. Picles. Tem um caldo de picles velho na minha língua. Arranco o papel com picles do rosto a tempo de ver...

— ROVER, MOSTRA PRA ELES! — eu grito já me abaixando na sela, e então...

O Blarg Ácido rosna enquanto nos persegue. Ele está se movendo mais rápido agora e está praticamente em cima de nós. Consigo sentir seu cheiro fétido. Mas estamos perto! A casa na árvore está a apenas dois quarteirões de distância... e o sol está nascendo.

— Mais rápido, Rover!

E então eu vejo a Big Mama, também descendo a rua. E vejo que o Dirk está ao volante. Puxo as rédeas, guiando o Rover até estarmos correndo lado a lado com a picape.

— Ei, amigos! — eu chamo. — Isso está muito divertido, hein?

Dirk olha pela janela, volta a cabeça e então olha de novo. June se endireita, olha nos meus olhos e sorri. Eu dou uma piscadela, como os caras bons fazem.

Vejo Quint enfiando a mão no bolso e agarrando seu pequeno chaveiro de controle remoto. É tudo tipo *BEEP-BOOP-BOOP!*

A casa na árvore se ergue sobre a cerca no fim da rua. E ela está entrando em ação, quase se transformando, com todos os dispositivos e as defesas criadas pelo Quint começando a serem acionadas.

A catapulta da casa na árvore é ativada, lançando uma TV de tela grande, que voa pelo ar girando. Viro a cabeça a tempo de ver...

Dirk leva a Big Mama até o meio-fio e derrapa até parar. Meus amigos se movem em unidade, parecendo uma versão mais bonita dos Vingadores, correndo até a cerca e pulando para dentro.

Um segundo depois, Rover avança, arrebentando a cerca e entrando no quintal. Num piscar de olhos, salto do Rover e estou escalando a casa na árvore, pronto para a batalha final ao amanhecer...

capítulo dezessete

Quint corre pela casa na árvore em pânico. Abaixo de nós, vejo Dirk correndo para a oficina de Quint. Árvores inteiras são derrubadas, arrancadas da terra, enquanto o Blarg Ácido vai se aproximando. Suas grossas garras negras balançam como grandes lâminas.

O rosto de June está tão branco que está quase transparente.

— Vamos continuar correndo! — Ela grita. — Não podemos ficar aqui! Ele vai arrancar esta casa na árvore do chão.

Mas não podemos fazer isso. Eu não posso fazer isso.

Porque, veja só, vou contar uma coisa. A verdade é a seguinte: esta casa na árvore não é apenas uma casa na árvore antiga. É a minha casa. Pela primeira vez na vida, eu tenho um lar real e permanente.

E o Quint, a June e o Dirk... pela primeira vez na vida, eu tenho amigos de verdade. Permanentes. Daqueles que não vão embora. Uma família.

Tudo o que eu sempre tive ciúmes... tudo o que as outras crianças tinham enquanto eu me sentia um órfão tonto. Bem, agora eu tenho também.

Claro, foi preciso acontecer o maldito APOCALIPSE DOS MONSTROS para eu conseguir. Mas não tem como eu perder o que consegui. Não para esse grande babaca.

Eu seguro corrimão em volta da casa. O passo seguinte do Blarg Ácido esmaga a cerca ao redor do quintal. O seguinte esmaga a nossa proteção de lanças de madeira.

— Defesas externas violadas! — Quint grita.

Fato curioso dos sucos em garrafa: eles são incríveis. Se você nunca tomou, pode começar. Eles são docinhos, deliciosos e tem gosto de coisas bem químicas açucaradas, e ainda, quando acabam, são perfeitos para fazer granadas suculentas contra monstros.

O Quint inventou uma receita matadora.

Granadas Para-Monstro em Garrafa de Suco!

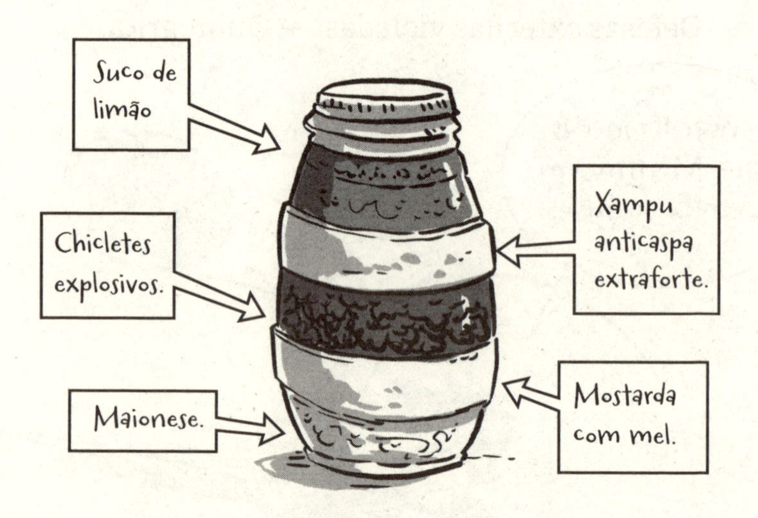

O Blarg Ácido uiva e geme quando os líquidos misturados das granadas estalam contra sua cabeça endurecida. Ele arranha sua pele que está fritando.

— JACK, A SEGUNDA CATAPULTA! — Quint grita.

— Vocês, hum ... têm uma segunda catapulta? — June pergunta.

— Dããã! — respondo com um sorriso, depois pulo para uma corda pendurada e deslizo para o outro lado da casa na árvore. Lá, Quint deixou um galho gigante puxado para trás e amarrado ao chão do deque da casa na árvore. A segunda catapulta.

A cesta da catapulta é uma velha geladeira enferrujada, abastecida com lixo de toda a cidade: assentos de bicicleta, micro-ondas, tijolos e portas de carro!

Hora de soltar o lixo!

Uso o Fatiador para cortar a corda e...

ATAQUE DE LIXO!

Umas duas toneladas de lixo acertam o Blarg ácido bem no nariz. Um balde de bolas de boliche o acerta na barriga, e a fera horrenda solta um uivo de dor.

Mas ainda assim, ele continua vindo, marchando adiante como uma máquina monstruosa assassina...

— Eu distraio ele! — June grita.

Ela pula, se balançando na corda de fuga até passar voando pelo quintal e aterrissar no telhado da casa do vizinho. Eu sorrio. June sabe o que faz.

O Blarg Ácido vira a cabeçona para June. Isso dá a Rover a abertura de que ele precisava para saltar, mergulhando aos pés do monstro e cravando suas presas grossas na perna dele. O Blarg ácido ruge e se abaixa, pegando Rover e jogando ele dali...

Quint e Rover caem pelo lado da casa na árvore. Rover faz um som de dor quando atinge o chão e Quint cai pesado na grama. Eu o ouço gritar "UGH" quando perde o ar.

Sou jogado para o lado. O Fatiador desliza da minha mão e também cai e se finca na grama, a poucos centímetros do rosto do Quint.

Não vamos conseguir continuar assim por muito tempo.

Mas então...

A Cavalaria chegou!

Dirk está armado até os dentes com as invenções insanas do Quint! Ele lança quatro frisbees afiados e então descarrega o lançador de bolas de futebol americano explosivas.

BLAM! BLAM! BLAM!

Os ataques confundem o cérebro monstruoso do Blarg Ácido. Ele dá um passo desequilibrado para a frente, em direção ao fosso-piscina, e...

Há um CRACK muito alto quando o gigantesco tornozelo do tamanho de um tronco de árvore do Blarg Ácido se quebra. O monstro está ferido!

Essa é a hora... é o momento do Herói de Ação Pós-Apocalíptico, Jack Sullivan!

— Quint — eu chamo. — Vamos brincar de lançamento!

Quint, lá no gramado, olha para mim parecendo confuso. E então... ding! Ele compreende!

— Mas você não é bom de agarrar. E eu, péssimo em lançar! — ele grita.

— Hoje nós vamos conseguir! Vamos CONSEGUIR!

Quint sacode a cabeça apenas uma vez, acreditando. Ele se levanta, estende a mão e pega o Fatiador. O rosto dele está pálido. Suor escorre por sua testa. Temos apenas uma chance.

Corro pela casa na árvore, dou dois passos no trampolim e grito:

— AGORA!

Quint joga o Fatiador.

Então eu pulo para cima, ficando parado no ar por um instante...

O bastão sobe girando e girando enquanto eu desço novamente para o trampolim, então estou saltando pelo ar e...

Seguro firme na empunhadura, giro o corpo no ar, levanto a lâmina e...

Eu cravo o Fatiador na cicatriz da enorme testa monstruosa do Blarg Ácido. Ele grunhe. Fico pendurado segurando firme no bastão, então as pernas do monstro cedem e ele começa a cair, cair e cair, e...

capítulo dezoito

Fico ali deitado, em cima do grande e morto Blarg, tentando recuperar o fôlego. Demora cerca de, hã... umas duas horas.

Não ouço nenhum dos sons terríveis deste mundo. Nenhum monstro uivando, nenhum zumbi gemendo.

Apenas minha respiração, voltando para mim.

E então... HUUMPH!

Um chute no meu estômago. Meus olhos se abrem.

Consigo dar um sorriso.

— Eu sei.

Ficamos em silêncio por um momento. Então ouço Quint e Dirk andando por perto. Rover boceja.

June está com as mãos nos quadris, olhando em volta e absorvendo tudo: o terreno irregular, o monstro gigante morto abaixo de nós, o forte irado na árvore de guarda sobre o quintal... e Dirk, Quint e Rover, nossos amigos. E então ela sorri e diz:

— Bom, isso foi incrível.

— Foi — respondo. — Com certeza foi.

— Ei, bobão! Pare de sorrir! — Dirk grita, rindo.

— Isso mesmo — Quint concorda. — Temos muitas coisas para limpar. E uma casa na árvore para consertar.

Uma casa na árvore para arrumar. Um lar para defender. E sabe de uma coisa? A sensação é incrível.

Então é isso.

Nós vencemos.

Nós sobrevivemos. Por enquanto...

Existem mais monstros para enfrentarmos e outras feras para vencermos. E esperamos que existam outros jovens por aí para aumentar o número de moradores da casa na árvore.

Quem sabe, um dia, a gente lidere um pequeno exército contra esses monstros.

Mas, até lá, a coisa mais importante é que...

Eu consegui!

Bom, mais ou menos... quer dizer, no fim a June não é uma donzela em perigo. E, definitivamente, ela não precisava ser resgatada. Mas, de uma maneira indireta, eu acabei resgatando ela mesmo assim!

E isso quer dizer que...

Eu completei o Feito MÁXIMO de Sucesso Apocalíptico!

E agora?

Bem, agora, acho que é hora de todos relaxarmos. Pelo menos por um tempo. E, ei, talvez tenhamos tempo de descobrir um cumprimento secreto da equipe antes que o próximo monstro gigante chegue...

Fotos da câmera do Jack!

Agradecimentos

A Doug Holgate, que deu vida a essa minha tênue noção para muito além dos meus sonhos mais loucos; não há superlativos suficientes para o seu talento. Minha brilhante editora, Leila Sales, por redefinir a palavra *paciência*... tão inteligente, tão perspicaz, com uma compreensão tão brilhante da história. A Jim Hoover, por apenas "entender" este sonho desde o primeiro dia e trabalhar duro para torná-lo incrível. Ken Wright, por acreditar que isso poderia funcionar.

Para Bridget Hartzler, a publicitária que ganhou a nota 10 incrível. Jeff Kinney, por seu incentivo e generosidade. E não é preciso dizer, meu durão agente Dan Lazar, por respostas por e-mail às duas da manhã e se esforçando muito para fazer tudo isso acontecer. Torie Doherty-Munro, por responder pergunta idiota a atrás de pergunta idiota. E por sugestões, pensamentos e ideias (boas e ruins), muito obrigado a Mike Mandolese, Wes Ryan, Geoff Baker, todos os membros da N.S.S. e, como sempre, Ben Murphy.

E, acima de tudo, obrigada, mãe. Obrigada por nunca chamar para dentro antes do jantar; obrigado por sempre me permitir encontrar minhas próprias aventuras no quintal; obrigado por me deixar raspar meus joelhos, quebrar alguns ossos e ter uma casa na árvore só minha; obrigado por ser a melhor mãe de todas. Agora, por favor, vocês todos... parem de ler todos esses agradecimentos chatos e saiam para participar de suas próprias aventuras monstruosas.

MAX BRALLIER!

(maxbrallier.com) é o autor de mais de vinte livros e jogos. Ele escreve livros infantis e para adultos. É o criador de *Galactic Hot Dogs*, uma série da Web em andamento voltada para o Ensino, lançada em 2015.

Ele é o designer de jogos do divertido mundo virtual *Poptropica* entre muitos outros. Já trabalhou no departamento de marketing da St. Martin's Press, daí sua conexão forte com os livros. Atualmente mora em Nova York com sua esposa, Alyse.

Siga Max no Twitter: @MaxBrallier .

O autor construindo sua casa na árvore quando criança. Essa belezinha NÃO estava armada até os dentes.

DOUGLAS HOLGATE!

(www.skullduggery.com.au) é um artista e ilustrador freelancer de quadrinhos, baseado em Melbourne, na Austrália, há mais de dez anos. Ele ilustrou livros para editoras como HarperCollins, Penguin Random House, Hachette e Simon & Schuster, incluindo a série *Planet Tad*, *Cheesie Mack*, *Case File 13* e *Zoo Sleepover*.

Douglas ilustrou quadrinhos para Image, Dynamite, Abrams e Penguin Random House. Atualmente, está trabalhando na série *Maralinga*, além da Graphic Novel *Clem Hetherington and the Ironwood Race*, publicado pela Scholastic Graphix, ambos co-criados com a escritora Jen Breach.

Siga Douglas no twitter: @douglasbot .

Jack Sullivan, June Del Toro, Quint Baker e Dirk Savage retornarão em...

Os Últimos Jovens da Terra
A Continuação!

FARO EDITORIAL
ESTA OBRA FOI IMPRESSA
EM JUNHO DE 2025